HISTOIRE ILLUSTRÉE
DES
jardins

HISTOIRE ILLUSTRÉE

DES jardins

par Julia S. BERRALL

Le texte a été traduit par Claude VOILIER
et revisé par Maurice FLEURENT

PONT ROYAL (DEL DUCA/LAFFONT)

Amour des jardins

Du Paradis Perdu nous reste-t-il cette nostalgie, cet appel informulé, cette soif confuse de retour et de rédemption qui se nomment un jardin ? De toutes les quêtes les plus tangibles, n'est-ce pas un Éden que l'homme tente de recréer à sa manière, tantôt avec les ressources de la fortune, tantôt grâce aux intuitions de l'art, et toujours avec un religieux instinct de la beauté. Les êtres que les conditions sociales voudraient étrangers les uns aux autres, ou, pire encore, ennemis, se retrouvent fraternels devant un paysage, devant l'éclosion d'une fleur.

C'est que les jardins sont une âme dédoublée, la meilleure; une évasion, la plus noble, une dernière chance de sagesse et de recueillement. Dans un univers aux mouvements accélérés, aux ambitions démentes, et dans la croissante agitation humaine, rien n'altère l'infinie patience de l'arbre, de l'arbuste, du moindre brin d'herbe. Quelle leçon que ces lois qui ne changent pas! Cette conscience de l'éternelle stabilité de la nature, changeante en ses saisons mais non en son principe, qui en louera jamais assez le contrepoids salutaire, et sa durée aussi, puisqu'on la retrouve pour ainsi dire depuis l'aube du monde, à la surface de toute la terre. Il semble bien en effet que depuis toujours et partout, en matière de jardins tout ait été conçu pour exprimer un même idéal. Les formes changent avec les peuples et les individus, mais la même aspiration demeure. Chacun avec le produit de son sol, eau, arbre ou fleurs, s'efforce de répondre à la lumière du ciel, et d'en implorer les faveurs.

Des terrasses de Sémiramis aux jardins en creux de Hampton Court; du dépouillement d'un jardin Zen réduit abstraitement à une formule de rochers et de sable lisse, aux exubérantes bordures herbacées des classiques jardins anglais; des « broderies » françaises et des charmilles taillées enserrant dans leurs vertes et hautes clôtures des jets d'eau dont on perçoit le chant et la fraîcheur avant de les atteindre; des ombrages majestueux aux perspectives touchant à l'horizon; des chemins d'eau d'Espagne et d'Italie courant entre des rives de fleurs, aux étroites allées bordées de buis des jardins de curé, il y a de par le monde la même soif d'un bonheur que les lois ne peuvent garantir.

5

Et même, à mesure que l'étau de la vie se referme plus étouffant, la fuite vers la nature et les espaces encore verts s'accroît d'année en année. Les banlieues s'élargissent, les campagnes se couvrent de maisons, moins à cause des maisons que des jardins, et l'urbanisme commence enfin à le comprendre qui parle non plus seulement de toits, mais de pelouses. Unique manière de rompre avec l'horrible monotonie de la pierre et du ciment. Car si murs et fenêtres se ressemblent, les jardins ne se ressemblent pas. Comment le pourraient-ils quand bien même le jardinier voudrait leur imposer une mode (puisqu'il est aussi une mode des jardins). C'est que la docilité des plantes n'existe que sur l'optimisme des catalogues. Les plantes au fond ne font que ce qu'elles veulent. Les unes, cultivées s'améliorent. D'autres, rebelles retournent doucement à leur état premier, délicieusement inculte. Elles renient allègrement les plans, les conventions et les espoirs. Elles sont d'abord les alliées du vent et des abeilles, sans omettre les taupes, souterraines distributrices de bulbes et de tubercules. Le parfait jardinier n'a plus qu'à s'incliner puisque aussi bien dans un jardin tout est miracle, tout est source inépuisable de surprises.

Mais que cela ne le détourne pas de connaître sa Bible, l'histoire des jardins célèbres même s'il n'en doit jamais voir que l'image. Aussi bien, n'existe-t-il pas des visiteurs qui s'y rendent, pèlerins privilégiés, comme dans des musées ? Et pourquoi pas comme livre de chevet, un livre qui s'appellerait tout simplement : LE JARDIN ?

Germaine Beaumont

Avant-Propos

La naissance des jardins remonte aux premiers jours de la civilisation, lorsque l'homme, ayant compris la valeur des plantes, des fruits et des graines comme appoint à son régime carné, commença à les cultiver à proximité de sa demeure. A cette époque, l'homme passa de l'état de chasseur nomade à celui de villageois et de fermier. Il travailla la terre et éleva des animaux domestiques.

Bientôt, les progrès de la civilisation lui laissant des loisirs, il s'intéressa aux végétaux du seul point de vue artistique. Dès lors, deux sortes de jardins fleurirent — c'est le cas de le dire! — côte à côte : le jardin utilitaire, destiné à nourrir son propriétaire et sa famille, et le jardin d'agrément, conçu pour le repos du corps, le plaisir de l'esprit... et la nourriture de l'âme.

Le propos de cet ouvrage est de retracer l'histoire des différents jardins d'agrément.

Les jardins ont toujours procuré de la beauté, de la sérénité et de la détente à ceux qui cherchent une calme retraite en marge du labeur quotidien. Ils forment également un cadre pittoresque au cortège des peuples qu'ils ont vus défiler. Vastes ou restreints, grandioses ou intimes, tous reflètent la fresque historique correspondant à leur temps. Mais aussi, chose plus importante encore, leur caractère nous révèle la gamme infinie des caprices climatiques de chaque contrée.

Ce jardinage d'agrément s'étend à tout l'univers, et il est, bien entendu, impossible d'évoquer ses innombrables manifestations. Cependant, au cours des âges, certaines tendances ont donné naissance à des styles, et ces styles sont devenus une mode.

Dans la plupart des cas, les puissants de ce monde lancèrent la vogue de tel ou tel jardin. Au cours de la présente étude, nous aurons ainsi l'occasion de parler de parcs royaux ou seigneuriaux, dont plusieurs subsistent encore de nos jours.

Comme il est évidemment impossible de donner une image de « tout », nous nous sommes du moins efforcés d'illustrer ce livre avec des gravures de jardins dont le type définit tel style ou telle période de l'histoire et qui, autant que possible, sont encore accessibles aux touristes de notre époque.

Planches

1. *Le Jardin d'Éden,* peint par l'Américain Erastus Salisbury Field en 1860. Près de la rivière qui arrose le paradis terreſtre, Ève cueille le fruit défendu sur l'arbre de la connaissance. *(Galerie Webb d'art américain, Shelburne, Vermont, Frohman.)*

2. Plan du jardin d'un haut dignitaire égyptien. A droite, un des canaux du Nil. On pénétrait dans l'enclos par une entrée imposante. A noter l'emploi de deux espèces de palmiers. Tiré de *i Monumenti dell' Egitto e della Nubia,* de Ippolito Rosellini. *(New York Public Library. Photo Roche.)*

1

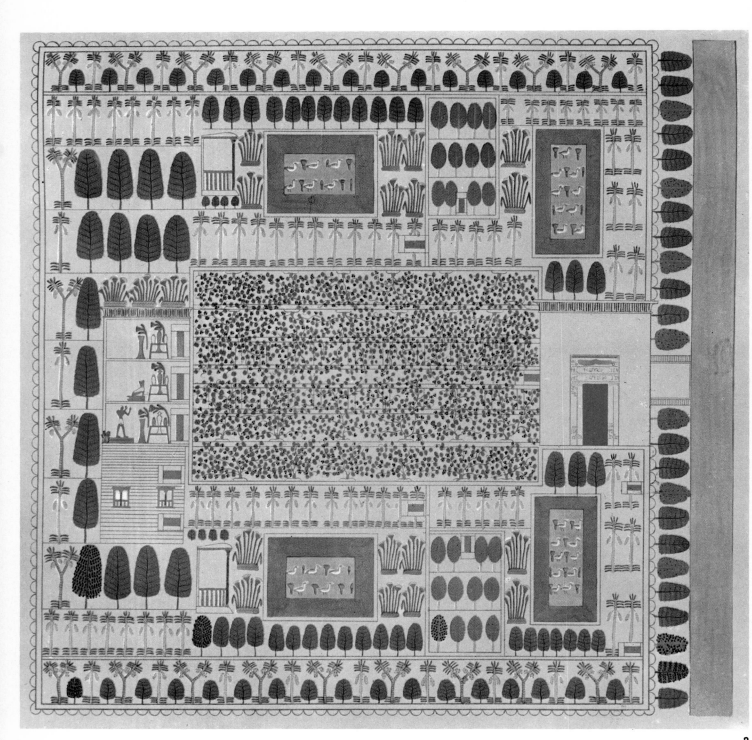

I

Au Temps des Pharaons

Les premières cultures dues à l'homme se développèrent au bord des grands fleuves du Moyen-Orient — le Nil, le Tigre et l'Euphrate — où ces deux facteurs essentiels, l'eau et le soleil, permettaient aux graines aussi bien qu'aux civilisations de croître librement. C'est là-bas, du côté de l'ancienne Médie, raconte-t-on, que fut créé le paradis terrestre. D'après l'Ancien Testament, le Seigneur aurait planté le jardin d'Éden d'arbres de toute sorte, y compris l'arbre de vie et l'arbre de la connaissance du bien et du mal. On nous dit encore que l'endroit était arrosé par un cours d'eau fertilisant. C'est là l'essence même du jardinage primitif : un endroit ombragé et bien irrigué.

De tous les jardins de l'Antiquité, ceux que nous connaissons sans doute le mieux sont les jardins égyptiens, car on les représentait souvent sur les tombeaux, soit gravés, soit peints. Ce sont de précieux documents sur l'horticulture de l'Égypte en ce temps-là. Grâce à eux nous savons quels arbres et quelles fleurs servaient à la décoration.

Les jardins d'agrément n'étaient pas seuls à dépendre étroitement du Nil. C'est le fleuve qui réglait l'économie du pays et son existence même : cela sur toute sa longueur, depuis les cataractes jusqu'à la Méditerranée.

Nul n'ignore que les crues du Nil, merveilleusement régulières, dispensaient la fertilité à ses rives en y déposant un limon noir qu'il était facile de travailler et où les graines poussaient comme par miracle.

A l'époque des pharaons, les membres des hautes classes de la société faisaient construire leurs villas à l'écart des villes. Ces propriétés, fort étendues, exigeaient un nombreux personnel : il est vrai que les esclaves ne coûtaient pas cher. Les domaines

Représentation — supposée, bien entendu — du jardin d'un haut dignitaire égyptien. Les bassins, les pavillons rustiques, la vigne et la maison sont clairement indiqués. Malheureusement, on s'est peu soucié de montrer exactement les espèces d'arbres. *(Reconstitution due à Charles Chipiez, 1883.)*

en question étaient entourés de murs épais qui les protégeaient aussi bien des maraudeurs et des bêtes sauvages que des vents du désert, qui n'auraient pas manqué de flétrir les fleurs et de dessécher les fruits et les légumes.

Tous, bien entendu, s'élevaient à proximité du Nil; l'irrigation naturelle dont ils bénéficiaient alors permettait le développement des arbres fruitiers, des vignes, des plantes potagères et des plantes d'agrément.

Désireux de perfectionner le système de répartition des eaux, les Égyptiens avaient creusé des canaux qui allaient du Nil à leurs propriétés. Certains de ces canaux étaient assez profonds pour que des bateaux pussent y naviguer. Les autres servaient à l'arrosage ou bien encore allaient alimenter des citernes et des bassins.

Ces bassins, en forme de T ou rectangulaires, ne tardèrent pas à devenir un élément décoratif des jardins.

Pour puiser l'eau, on utilisait un appareil très simple, composé d'une perche lestée à un bout par une grosse pierre avec, à l'autre extrémité, un seau en cuir. Cette machine élémentaire, appelée un chadouf, est encore d'un usage fréquent en Égypte.

L'eau était également transportée par des esclaves, soit à la main, dans des outres de cuir, soit sur les épaules, dans des pots d'argile suspendus aux deux extrémités d'une sorte de joug. Vu l'évaporation intensive qui se produit sous ces climats, on ne devait jamais cesser d'arroser les plantes et de tenir les réservoirs pleins. Nous savons, d'après certaines peintures, que souvent les arbres étaient entourés d'une petite cuvette de terre, circulaire, qui permettait à leurs racines de baigner le plus possible dans l'eau.

D'une manière générale, les jardins de l'ancienne Égypte présentaient le type le plus parfait et le plus artificiel du jardin architectonique. De forme carrée, ils servirent de modèle à tous les jardins de l'Europe et du Moyen-Orient durant près de trois mille ans.

Le plan le plus complet d'une villa et de ses dépendances a été trouvé dans un tombeau thébain, au siècle dernier, par l'égyptologue italien Ippolito Rosellini. Le domaine en question appartenait sans doute à quelque haut dignitaire du règne d'Aménophis III (1411-1375 av. J.-C.). Son long canal, l'entrée imposante, le grand nombre d'arbres, le vaste vignoble, tout évoque la richesse. On imagine très bien le propriétaire du lieu arrivant en bateau, débarquant à l'ombre de la porte massive, puis pénétrant dans la fraîcheur du jardin. Le toit de la villa est protégé des ardeurs du soleil par des auvents. De petits pavillons rustiques, tout près des pièces d'eau, invitent au repos.

Quand on regarde ce plan, on est impressionné non seulement par les détails architecturaux, l'ordre géométrique et la beauté des richesses végétales, mais aussi par l'aspect pratique de l'ensemble. Tous les arbres qui donnent de l'ombre produisent également des fruits : dattiers, notamment, et sycomores des pharaons *(Ficus sycomorus)*, qui, en raison de leur feuillage épais et presque toujours vert, procurent une ombre dense. Parmi les arbres moins grands, on reconnaît le figuier ordinaire *(Ficus carica)* et le grenadier. La vigne, cultivée avec soin, donnait un vin généreux. Enfin les bassins contenaient des poissons comestibles.

Outre ces riches et vastes jardins aménagés à l'écart des villes, il existait de petits jardins appartenant aux gens de classe moyenne, et dont la caractéristique la plus marquante était un puits ombragé par un arbre. On trouvait là des carrés de légumes entretenus avec soin et quelques pieds de vigne. Parfois, on trouvait aussi dans ces jardinets des fleurs — timide essai décoratif — en général des coquelicots et des bleuets *(Centaurea cyanus)*. Nous savons du reste que les Égyptiens aimaient les couleurs brillantes.

Ces jardins utilitaires ne ressemblaient — et encore de très loin — à des jardins d'agrément que lorsqu'ils comportaient cet élément floral et une ombre assez abondante. On pense que, chaque fois que cela était possible, l'Égyptien plantait dans son jardin des acacias et des tamaris : les fleurs de ces arbres attiraient les abeilles, et le miel était la seule sucrerie connue en ce temps-là.

Les jardins dépendant des temples et des palais des pharaons étaient, bien entendu, les plus magnifiques de tous. Le plan complet d'une villa royale et de ses jardins, y compris

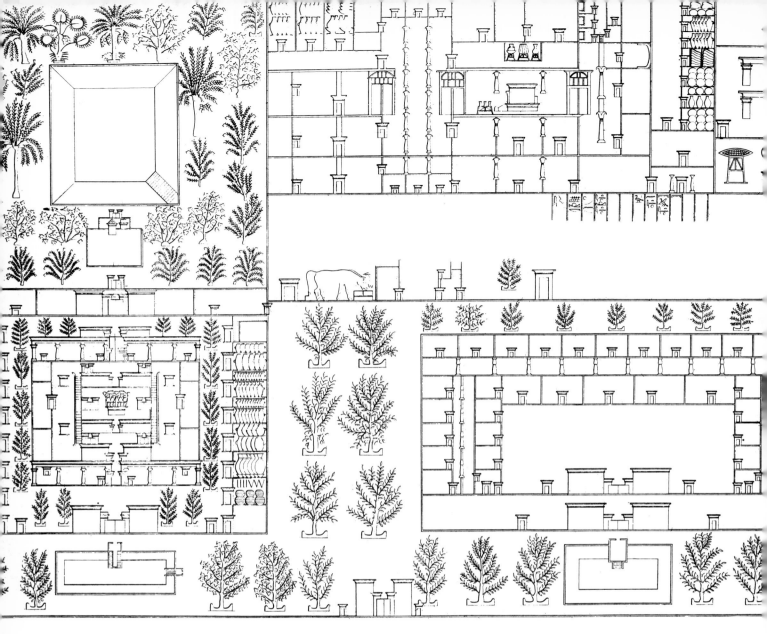

un verger autour d'une immense pièce d'eau, a été découvert dans la tombe d'un grand prêtre à El-Amarna, capitale d'Akhenaton au XIVe siècle av. J.-C. et sur laquelle régna la belle Néfertiti.

Le jardin d'un temple — celui de Karnak, suppose-t-on — est représenté sur une tombe. De grands bateaux venant du Nil se dirigent vers le canal conduisant à la pièce d'eau, en face du temple. A l'intérieur de celui-ci, le roi Néferhotep tient un bouquet de fleurs. Si ce temple est bien celui de Karnak, comme le laisse supposer l'obélisque qui se dresse près du pylône de l'entrée, il a été peint avant que le roi Thoutmosis III (1504-1450 av. J.-C.) n'y ait ajouté les constructions colossales qui frappent aujourd'hui le visiteur.

A une certaine époque, de très beaux jardins reliaient le temple de Karnak et celui de Louksor. Une allée principale, allant de l'un à l'autre, ne comprenait pas moins de mille quatre cents sphynx — dont la plupart subsistent encore aujourd'hui — qui faisaient en quelque sorte une double haie d'honneur.

14

A GAUCHE : plan des bâtiments et des jardins d'une villa appartenant à un roi ou à un grand prêtre, dessiné d'après un bas-relief d'El-Amarna. Parmi les arbres entourant le grand bassin du coin supérieur gauche, on reconnaît des grenadiers, des dattiers et des figuiers. Ailleurs, les arbres représentés ont leur pied entouré d'une cuvette de boue séchée destinée à retenir l'eau. *(E. Prisse d'Avennes, Histoire de l'art égyptien.)*

A DROITE : essai de reconstitution d'une portion de villa royale à El-Amarna. *(Charles Chipiez.)*

Il est probable que des fleurs et des herbes diverses étaient cultivées dans ces jardins dépendants des temples. En effet, les prêtres égyptiens étaient fort versés en médecine. Les plantes médicinales étaient couramment employées : l'acacia, l'aloès, l'anis, le carvi, le colchique, le cassier, la coriandre, le cumin, le fenouil, la gentiane, le lotus, la menthe, la myrrhe, le pavot, le safran, etc. (Le mot « lotus » est d'ailleurs employé à tort. *Nelumbium speciosum* ou *nucifera* — le véritable lotus rose — n'est pas originaire d'Égypte. En réalité, les fleurs que connaissaient les anciens Égyptiens étaient le *Nymphaea caerulea* et le *Nymphaea lotus,* sortes de nénuphar d'eau bleu et blanc.)

Nous avons plusieurs documents relatifs aux bouquets d'arbres sacrés que l'on plantait autour des temples. Dans ce pays où les arbres étaient rares, on les vénérait tout particulièrement. Certains, comme les arbres à encens, venaient de régions lointaines. Cet arbre à encens était probablement le *Boswellia,* dont la gomme-résine (oliban) exhale une odeur pénétrante.

La reine Hatshepsout, qui commença à régner vers 1501 av. J.-C., envoya une expédition de cinq vaisseaux sur la côte de ce que nous appelons aujourd'hui la Somalie afin de se procurer des balsamodendrons (qui produisent la myrrhe) pour le temple mortuaire qu'elle se faisait construire à Thèbes. La reine fit ériger trois terrasses ornées de colonnades et, toute fière, proclama qu'elle avait conçu un jardin où le dieu Amon lui-même serait fier de se promener[1].

L'intérieur du temple est sculpté de scènes commentées par des textes hiéroglyphiques. On y voit de grands bateaux qui, après avoir navigué sur le Nil et être passés dans la mer Rouge (sans doute grâce à un canal), sont chargés d'arbres à encens que des esclaves transportent à l'aide de paniers et de cordes. Le demi-frère et mari de la reine, le pharaon Thoutmosis III, eut l'idée de faire graver dans la pierre du temple de Karnak le détail de toutes les fleurs, de toutes les plantes et de tous les animaux qu'il avait trouvés et rapportés de Syrie et de Palestine lors de ses campagnes.

Le « lotus » qui poussait sur les eaux calmes du Nil est le motif floral qui apparaît le plus souvent dans les peintures funéraires. Consacré à la déesse Isis, il était facile à styliser. On ornait de lotus les tables des banquets, on en piquait dans les cheveux, on en portait en guirlandes autour du cou, on en offrait comme présent, on en garnissait les vases. Souvent, à l'instar des feuilles de palmier ou du papyrus, ils décoraient le chapiteau des colonnes.

D'autres fleurs étaient fort populaires, mais leur forme plus compliquée était moins aisée à reproduire. Aussi se souciait-on peu de les dessiner ou de les graver dans la pierre. D'après des guirlandes funèbres retrouvées en bon état de conservation sur des momies, on sait que les Égyptiens connaissaient le bleuet *(Centaurea cyanus)*, le faux safran *(Carthamus tinctorius)*, la mauve *(Malva alcea)* et le coquelicot *(Papaver Rhoeas)* ainsi que l'acacia et le tamaris.

On a également identifié le *Lawsonia inermis,* dont on tire le henné employé en produits de beauté. De nombreuses autres plantes et fleurs furent introduites en Égypte à l'époque gréco-romaine. Toutes ces espèces s'acclimatèrent parfaitement.

Des recettes de parfums font mention du glaïeul des marais *(Acorus calamus)*, du jasmin blanc et du liseron. La rose *(Rosa sancta)* date aussi de cette période. Citons encore l'*Anemone coronaria,* le *Narcissus Tazetta,* le *Chrysanthemum coronarium,* le *Lupinus Termis,* le *Delphinium orientale,* le *Lathyrus sativus* et le *Celosia argentea.* Pline, le naturaliste, mentionne le pavot à opium *(Papaver somniferum)* et la crête-de-coq *(Celosia cristata)*.

Dans l'ancienne Égypte, pendant des milliers d'années, les fleurs occupaient une telle place dans la vie quotidienne que de nombreux jardiniers — hommes, femmes et enfants — étaient chargés de les cultiver. Outre l'arrosage et autres soins à apporter aux fleurs, les jardiniers devaient savoir confectionner les guirlandes et les sortes de chapelets que l'on portait dans les réjouissances populaires ou au cours de cérémonies religieuses.

Il n'était pas rare que, pour rendre hommage à un jardinier particulièrement habile, on le statufiât après sa mort. Parfois on lui érigeait un somptueux tombeau. L'intérieur d'une tombe trouvée à Thèbes, considéré comme particulièrement beau, glorifie un jardinier du roi, Senufer. Le plafond de sa dernière demeure est peint de manière à représenter une vigne avec son cep noueux, ses feuilles et ses vrilles qui ont l'air de s'accrocher aux murs.

Les Égyptiens étaient tellement entichés de jardins qu'ils les célébraient jusque dans leurs écrits. Témoin ce charmant poème d'amour :

Je suis l'être que tu chéris
Je suis pour toi comme le jardin
Que j'ai planté de fleurs
Et d'herbes odorantes.

Et comment souligner plus vivement l'engouement des gens pour leurs « espaces verts » qu'en rapportant ce marché très humain et fort réaliste entre une jeune femme du IIIe siècle et son jardinier ?

Voici ce que la charmante personne, appelée Talamès, disait à son jardinier, Peftumont :

« Si tu veux vraiment travailler pour mon compte, alors, commence par faire venir l'eau dans mon jardin. Tu devras en puiser des pots et des pots... Il te faudra creuser un fossé jusqu'à mon jardin... et tu ne m'obligeras pas à te surveiller... »

Elle lui demandait aussi de confectionner quatre paniers en fibre de palmier, pendant les soirées, pour transporter la terre. Elle le chargeait encore de protéger son précieux jardin contre les moineaux et les corneilles. Pour terminer, elle lui faisait choisir le mode de paiement : en froment, en or ou en bronze. Cependant, s'il choisissait le froment, elle ne voulait pas être obligée de le lui fournir moulu.

Peftumont, de son côté, soucieux de dégager sa responsabilité ou, peut-être, dans le désir de s'épargner l'ennuyeuse surveillance de sa méfiante patronne, tente de la dissuader de venir trop souvent au jardin. Si elle vient, en tout cas, elle devra porter un chapeau sur la tête pour se protéger contre les ardeurs du soleil et mettra à ses pieds de grosses chaussures qui l'empêcheront de se tordre la cheville sur les pierres. Il lui conseille même gentiment de tenir une lance à la main pour se défendre des hyènes et un glaive pour chasser les loups ! [2]

L'un des plaisirs favoris des riches propriétaires égyptiens était de pêcher dans les viviers aménagés dans leur jardin. Décoration d'une tombe thébaine. *(Georges Perrot et Charles Chipiez, 1883,* History of Art in Ancien Egypt.*)*

Planches

3. Le roi Néferhotep au temple de Karnak. Il tend à la reine le bouquet qu'on vient de lui donner. Le jardin du temple est bordé d'arbres. Sa pièce d'eau comporte un débarcadère à l'usage des bateaux venant du Nil. Du papyrus et de la vigne poussent près du canal. A gauche, on remarque un appareil à puiser l'eau ou chadouf. *(Norman de Garis Davies, Tomb of Neferhotep at Thebes, Metropolitan Museum Publication.)*

4. Peinture funéraire remontant à environ 1415 av. J.-C. En haut, à droite, une maison est indiquée. Devant elle, un bassin bordé d'arbres au-delà duquel une porte s'ouvre sur une treille, à gauche. *(Metropolitan Museum of Art.)*

5. Des hommes et des singes cueillent des figues. Sculpture murale de Béni-Hassan. Tombeau de Khnemhotep, 1920-1900 av. J.-C. *(Nina M. Davies, University of Chicago Press.)*

6. Scène funéraire dans un jardin, vers 1450 av. J.-C. Un long escalier va de la maison au bassin que traverse une barque chargée du corps du défunt, Minnakhte, contrôleur des grains de toute l'Égypte. Ses serviteurs portent des gerbes de papyrus. La forme de ces plantes a inspiré les architectes égyptiens pour la décoration des chapiteaux de leurs colonnes. *(Metropolitan Museum of Art.)*

7. Jeunes filles cueillant des « lotus » dans les marais. Ces fleurs étaient utilisées tant dans l'ornement domestique que dans les cérémonies. Peinture d'une tombe thébaine, 1420-1411 av. J.-C. *(Nina M. Davies, University of Chicago Press.)*

8. Africains à la peau noire, venus des rivages de l'Est, offrant des présents (peinture funéraire thébaine des environs de 1450 av. J.-C.). Ils apportent des œufs et des plumes d'autruche ainsi que des arbres à encens. Ces arbres, transportés au moyen de cordes, avaient leurs racines vrai-semblablement emballées dans des fibres de palmier-dattier. *(Metropolitan Museum of Art.)*

9. Le grand prêtre Ouserhet se repose dans son jardin. A l'ombre d'un figuier où chantent des oiseaux, il vide une coupe de vin ou de bière. Ses servantes lui offrent des fruits : grenades, figues et raisins. En bas, à droite, un bassin. Tombe thébaine, 1313-1292 av. J.-C. *(Nina M. Davies, University of Chicago Press.)*

10. Peinture d'une tombe thébaine, celle de Khac-em-Weset, de la XVIIIe dynastie. Dans une treille, les esclaves cueillent des raisins et arrosent la vigne. *(Metropolitan Museum of Art.)*

11. Bassin décoratif à poissons dans le jardin de Nébamen, « un scribe qui tient le compte des grains d'Amen ». Cette peinture funéraire thébaine (environ 1400 av. J.-C.) évoque une oasis d'ombre et de beauté au sein d'un jardin plus vaste. Des plantes aux fleurs multicolores et des papyrus bordent cette pièce d'eau où s'épanouissent des « lotus ». Parmi les arbres qui l'entourent on remarque des dattiers, des figuiers, des sycomores et des grenadiers. On distingue même une vigne dans le coin inférieur gauche de la gravure. *(British Museum.)*

12. Plan d'une maison de moyennes dimensions et de son jardin. Le canal d'irrigation est bordé de palmiers. Le dessin formant damier représente sans doute un potager. *(E. Prisse d'Avennes, Histoire de l'art égyptien.)*

13. Peinture murale montrant comment on utilisait le chadouf pour puiser de l'eau. L'arbre que l'on voit au premier plan est un grenadier. Derrière lui, un saule têtard. La petite maison ou pavillon de jardin, à gauche, possède une volée de marches et un portique à colonnes. Les colonnes sont censées représenter un faisceau de tiges de papyrus dont les bourgeons effilés forment le chapiteau. A la surface de l'eau flottent des « lotus ». *(Metropolitan Museum of Art.)*

3

4

5

6

7

8

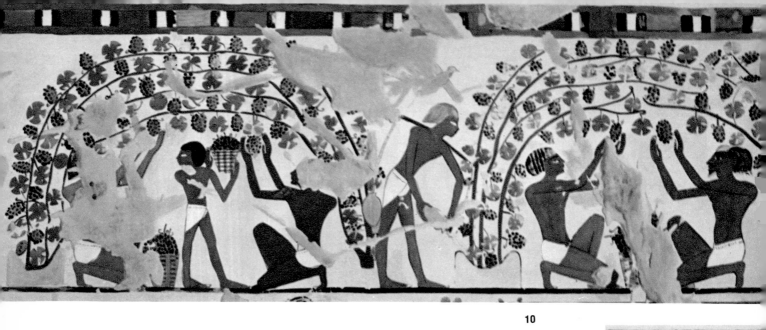

10

11

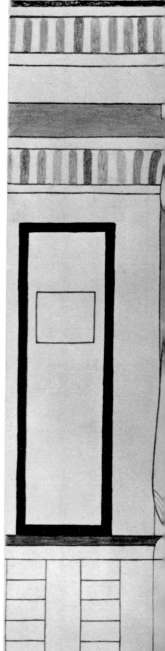

12

13

II

La Mésopotamie :
Le Pays entre les Fleuves

La grande vallée du Tigre et de l'Euphrate ne nous a pas légué grand-chose dans le domaine des jardins. Contrairement au Nil, dont la crue et la décrue lentes et sans à-coup permettaient aux Égyptiens de semer en automne et de récolter dès mars ou avril, les fleuves de la Mésopotamie, qui prennent leur source dans les monts de l'Arménie, se transformaient volontiers en torrents impétueux qui submergeaient les terres sous un déluge d'eau, de boue et de cailloux. Leurs crues commençaient en mai puis, quelques semaines plus tard, les eaux se retiraient, laissant les terres de nouveau sèches et infertiles. Dès le mois de juillet, le soleil les avait entièrement brûlées.

Dans leurs efforts pour endiguer la fureur des flots, les Mésopotamiens imaginèrent alors de vastes lacs, des réservoirs et, entre les deux fleuves, un réseau de canaux dont se mit à dépendre toute l'économie du pays.

Les conquérants, les crues et la piètre qualité des briques utilisées pour la construction ont rendu malaisée à connaître l'histoire des anciens Babyloniens et Assyriens. Néanmoins, les archéologues ont habilement imaginé leur vie d'après des sceaux et des tablettes couvertes de textes en écriture cunéiforme, trouvés au cours de fouilles. Ils y ont été aidés aussi par la découverte de ruines de vieux monuments, dont un grand nombre s'ornent de magnifiques et très éloquentes sculptures. Celles-ci n'évoquent

14. Les jardins suspendus de Babylone, vus par un artiste du XIXe siècle. La luxuriance grandiose de ces lieux enchanteurs est certainement bien rendue, mais les matériaux de construction représentés jurent avec l'époque. Babylone était une cité de brique, non de pierre. (*American Museum of Photography, Philadelphie.*)

27

que rarement des jardins. Dans ce cas, il s'agit de jardins aériens, c'est-à-dire aménagés sur des toits en terrasse. On y voit des fleurs stylisées et aussi des arbres. Sans doute ces jardins étaient-ils à la fois utilitaires et d'agrément.

Bien que les fleurs fussent rarement employées en décoration par les peuples de Mésopotamie, et bien qu'elles n'aient pas occupé une place de choix dans les cérémonies religieuses, il semble, en revanche, que l'arbre ait eu une grande importance. Il faisait l'objet d'une réelle vénération. On ne l'adorait pas à la manière stupide des primitifs, mais on appréciait hautement ce qu'il procurait à l'homme : ses fruits, son bois, son ombre...

Certains arbres, comme les beaux cèdres du Liban, étaient prisés au plus haut point par les peuples de la Méditerranée. Le palmier-dattier, aussi, était cultivé avec ardeur. On l'utilisait de toutes les manières : on mangeait son fruit, on buvait sa sève en guise de vin, on faisait des toitures et des meubles avec son bois, on transformait ses fibres en cordes et ses feuilles en nattes, balais, éventails et paniers.

Le seul héritage — mais peut-on bien dire « horticole » ? — que nous aient légué les rois assyriens est la création de vastes réserves de chasse boisées et d'immenses parcs plantés d'arbres.

Le premier souverain connu qui nous ait laissé un rapport sur son parc fut Téglathphalasar Ier (1100 av. J.-C.). Ce monarque avait ramené des cèdres des pays qu'il avait conquis et proclamait fièrement que c'étaient là des arbres comme aucun autre roi avant lui n'en avait possédé !

Sennachérib (705-681 av. J.-C.) se fit construire « un palais comme on n'en avait jamais vu » (ce sont ses propres paroles) et autour duquel on aménagea un parc où l'on planta des palmiers de Chaldée, « toutes les épices de la terre des Hittites », des balsamodendrons producteurs de myrrhe (qui, toujours d'après Sennachérib, poussaient mieux dans ses jardins que sur leur terre d'origine), des cyprès, des « vignes de la colline et des fruits de partout ».

Pour irriguer ses plantations, le roi fit creuser un canal à partir de la Chousour. Puis il aménagea un bassin et y planta des roseaux.

Par la suite, Sennachérib écrivit que « grâce aux dieux ses arbres prospéraient et prenaient de l'ampleur ». L'un des aspects les plus frappants de la proclamation royale est que ce roi guerrier avait créé son immense parc pour le seul bénéfice de son peuple. Il dit en effet : « J'ai planté ces arbres pour mes sujets. »

Le plaisir et la détente que l'on pouvait éprouver parmi ces bosquets nous sont dépeints par le saisissant portrait, gravé dans la pierre, du roi Assurbanipal en train de faire un bon dîner dans son parc, en tête à tête avec son épouse.

Ces retraites de verdure étaient également fort appréciées des rois après la bataille. Ils allaient s'étendre dans l'un de leurs pavillons et y jouissaient « de vin, de femmes et de chansons ». Quelquefois, pour égayer davantage la scène, le monarque victorieux faisait accrocher la tête de ses ennemis aux branches des arbres les plus proches. Chacun s'amuse comme il peut !

Les jardins les plus célèbres de l'Antiquité furent sans conteste ceux que créa Nabuchodonosor aux environs de 605 av. J.-C. et que l'on a coutume de considérer comme la septième merveille du monde.

Ce fut en effet Nabuchodonosor qui imagina les jardins suspendus de Babylone, en hommage à la reine. Originaire de la Perse, cette princesse regrettait beaucoup les montagnes boisées de son pays natal. Alors son noble époux, plein de galanterie, lui témoigna son amour en créant ces îlots de verdure aériens. Il semble malgré tout qu'il ne fit que les redécouvrir. La belle Sémiramis, à ce qu'affirment de nombreux historiens, y avait pensé avant lui !

Cela semble d'autant plus vrai que les jardins suspendus ne naquirent pas à vrai dire d'un seul coup. Ils sont comme l'aboutissement d'influences combinées : celles des cultures pratiquées en terrasse à flanc de colline (dans un dessein utilitaire) et la forme des temples à étages ou ziggourats. Un ziggourat était une sorte de tour comportant en général sept paliers et bâtie sur une vaste plate-forme. On regardait ces temples comme un lien entre le ciel et la terre.

Malheureusement, les célèbres jardins suspendus n'ont pas laissé de trace concrète. Nous ne les connaissons que par la légende. Babylone, cité de brique, était à la merci des tremblements de terre aussi bien que des envahisseurs. Cependant, en dépit de ses destructions multiples, la ville reste fameuse par le souvenir de ses palais somptueux et celui de ses jardins, dont la beauté a continué d'être chantée de génération en génération.

Les historiens grecs Strabon et Diodore de Sicile, qui furent plus ou moins contemporains du Christ, mirent par écrit tout ce qu'ils savaient sur les jardins suspendus de Babylone. Leurs descriptions varient dans certains détails, mais tous deux sont unanimes à déclarer « qu'ils couvraient environ trois ou quatre acres » et qu'ils étaient disposés en gradins « comme ceux d'un théâtre ». Sous les arches qui les supportaient se trouvaient « de grandes pièces de toute sorte destinées à quantité d'usages ».

La plus élevée des galeries sur lesquelles reposait le poids des terrasses avait cinquante coudées de haut. Le jardin proprement dit était entouré de murs formant des remparts protecteurs.

Dans la galerie supérieure, affirme Diodore, se trouvaient des « machines » capables de puiser l'eau dans l'Euphrate à travers des tuyaux soigneusement dissimulés dans la masse. Ainsi se faisait l'irrigation de ces paradis aériens.

Strabon, lui, ne s'embarrasse pas de machinerie. Il déclare tout bonnement que des esclaves allaient chercher l'eau au fleuve dans des seaux. Parfois aussi ils la tiraient à l'aide de pompes.

Le jardin principal était aménagé au sommet de l'ensemble. Le plafond des galeries était fait de pierres, taillées en forme de poutre. Les couvertures qui reposaient sur ces plafonds de pierre consistaient d'abord en un lit de roseaux mêlés d'une grande quantité d'asphalte, ensuite en une double couche de briques cuites jointes avec du plâtre, enfin, en troisième lieu, en une toiture de lames de plomb pour empêcher l'humidité de pénétrer dans les fondations. Sur cette couverture on avait répandu une quantité de terre suffisante pour permettre à de grands arbres de végéter aisément.

L'ensemble, de loin, ressemblait assez à une verdoyante montagne. En se rapprochant, l'impression subsistait un certain temps. Puis on reconnaissait tour à tour les cèdres, les cyprès, les faux acacias, les mimosas, les trembles, les châtaigniers, les bouleaux et les peupliers, avant de distinguer une multitude prodigieuse de plantes et de fleurs.

III

Jardins de l'Ancienne Perse et de la Grèce Antique

Des siècles durant, des armées d'envahisseurs violèrent les frontières des pays méditerranéens. Certaines même traversèrent la Méditerranée. L'Égypte conquit l'Assyrie puis, plus tard, les Assyriens attaquèrent l'Égypte. Les Perses prirent Babylone et poussèrent vers l'ouest. Les Grecs affrontèrent les Perses sur le champ de bataille de Marathon. Par la suite, avec Alexandre le Grand, les Grecs, encore, envahirent toute l'Asie Mineure et atteignirent l'Inde.

Au nombre des trophées, concrets ou invisibles, que les conquérants ramenaient chez eux on peut compter une connaissance plus vaste de la culture des peuples vaincus. Souvent cette connaissance englobait des idées neuves en horticulture.

Les Perses, en particulier, admiraient beaucoup les parcs et les réserves de chasse des Assyriens et des Chaldéens. Rentrés dans leur pays, ils s'appliquèrent à copier ce qu'ils avaient vu en l'adaptant à leur mode de vie et aux exigences de leur climat. On rapporte que les Perses plantaient les arbres avec « une impressionnante régularité » et qu'ils lancèrent la mode d'ombrager le tombeau de personnages importants avec des arbres gracieux. Petit à petit les arbres devinrent si fort appréciés des Perses qu'on finit par apprendre aux jeunes l'art de les faire pousser en même temps qu'on leur enseignait à forger des armes. Le mot « paradis » vient de la traduction grecque du mot persan *pardes,* qui signifie parc. C'est Xénophon qui en fit usage le premier à propos de Cyrus le Grand, dont il rapporte le goût pour la verdure :

« Le roi perse, écrit-il, est servi avec zèle. On fait en sorte qu'il trouve des jardins partout où il va. Ces jardins, qu'on appelle « paradis », sont pleins de toutes les choses belles et bonnes que la terre est capable de produire. »

Des jardins de la Grèce antique nous savons peu de chose. Il semble cependant que la contribution des Grecs à l'horticulture d'agrément ait été des plus faibles. Au temps d'Homère les gens n'étaient guère que de petits fermiers travaillant dans les vallées. Isolés par des chaînes de montagnes ils en vinrent à constituer leurs terres en « cités-États ».

Le sol était pauvre. Ce n'est qu'en irriguant sans cesse et au prix d'un labeur constant qu'on arrivait à cultiver les céréales et autres denrées essentielles. En revanche, il poussait dans la campagne grecque quantité de fleurs sauvages que les poètes n'ont pas manqué de chanter : asphodèle, narcisse, violette, cyclamen, jacinthe, lis, iris, crocus et aussi une espèce de céleri sauvage, le *Gladiolus byzantinus*. Les roses aussi poussaient en abondance. C'est même, à notre connaissance, la seule fleur que les Grecs aient cultivée dans leurs jardins.

Hérodote, qui écrivit ses *Histoires* (histoire et mœurs des habitants des différents pays du bassin méditerranéen qu'il avait visités) au ve siècle av. J.-C., nous parle du jardin de Midas, « où l'on pouvait admirer des roses à soixante pétales ». Sans doute s'agissait-il de la *Rosa centifolia*.

Néanmoins, le jardin idéal, tel qu'il se développait un peu partout ailleurs, finit par entrer dans les mœurs des Grecs, car, dans son *Odyssée,* Homère nous décrit le jardin du roi Alcinoos comme divisé en trois parties : un verger avec poiriers, grenadiers, pommiers, figuiers et oliviers; une vigne et « toutes sortes de massifs de fleurs joliment arrangés ». En outre, ce jardin royal était entouré d'une haie et possédait deux fontaines. La première alimentait des ruisselets d'irrigation. La seconde jaillissait dans une petite cour, à côté du palais; les gens d'alentour avaient l'autorisation d'y puiser de l'eau.

A l'époque classique, qui commença au ve siècle, il semble que les Athéniens aient trop aimé les réunions populaires pour se constituer de calmes retraites individuelles. Ils préféraient de beaucoup se rencontrer en des endroits comme la place publique ou l'académie, où ils pouvaient discuter politique et échanger des idées sur tous les sujets. Ces intarissables bavards se retrouvaient souvent aussi au gymnase.

Cependant l'usage d'arbres pour rehausser la beauté des monuments et des lieux de réunion ne tarda pas à se répandre. Bientôt ormes, platanes, trembles, ifs et myrtes transformèrent les places des villes en parcs publics. A la longue même, ces endroits devinrent tellement fréquentés que les philosophes, qui, d'ordinaire, se rassemblaient là avec leurs élèves, finirent par se retirer dans des retraites nouvellement créées, fraîches et ombragées.

Épicure (341-270 av. J.-C.), que Pline l'Ancien (23-79 ap. J.-C.) appelait « ce connaisseur de la bonne vie », fut le premier à donner l'exemple.

« Jusqu'alors, écrit Pline, on n'avait pas eu l'idée de vivre à la campagne au beau milieu d'une ville. »

Les cérémonies religieuses, elles aussi, poussèrent les gens à « s'aérer ». Souvent, en effet, elles se déroulaient loin du temple, dans un cadre champêtre, en général dans un petit bois sacré au centre duquel se dressait un autel.

Parfois, le petit bois n'était qu'un simple bouquet d'arbres quand ce n'était pas un arbre tout seul. Une source jaillissante ou une grotte faisaient souvent aussi partie du décor. Plus tard, la grotte fut adoptée par les particuliers comme élément décoratif de leur jardin. On la trouve notamment dans les jardins Renaissance et dans les « jardins paysagers » de l'Angleterre du XVIIIe siècle.

Dans son *Histoire naturelle,* Pline l'Ancien nous apprend encore que de nombreux jardins maraîchers des environs d'Athènes fournissaient la cité de fleurs et de légumes.

Avant Pline, Xénophon rapporte que ces cultures maraîchères étaient engraissées avec les eaux des égouts de la ville, et cela grâce à un système très simple. L'égout principal se déversait dans un réservoir et, de là, de petits canaux en brique amenaient les eaux usées et fertilisantes jusqu'à la vallée du Céphise.

Les fleurs que l'on faisait pousser étaient destinées à des fabricants de guirlandes et à des revendeurs, qui formaient une corporation bien distincte, tant à Rome qu'en Grèce.

Couronnes et guirlandes de fleurs étaient d'un usage courant dans les réjouissances populaires. Elles ornaient également les statues de dieux et les autels. On en offrait en récompense aux serviteurs publics. Elles constituaient souvent l'emblème de telle ou telle charge. On les prodiguait aux grands capitaines de terre et de mer, aux poètes, aux athlètes. Les amoureux en échangeaient entre eux. On en portait lors des mariages et des cérémonies funèbres. Accrochée à une porte d'entrée, une couronne ou une guirlande annonçait la naissance d'un garçon.

Avec la fabrication intensive de parfums les demandes de fleurs devinrent de plus en plus nombreuses. On se mit à les cultiver avec ardeur dans la campagne.

Les écrits laissés par les naturalistes grecs nous permettent de nous faire une idée des fleurs et des plantes que l'on connaissait et employait à l'époque. Quelle source inépuisable de documentation sont pour nous les dix volumes de *l'Histoire des plantes* de Théophraste (vers 372-287 av. J.-C.), le « père de la botanique » !

Plus tard, au début de l'ère chrétienne, le médecin Pedanius Dioscoride, qui servit dans l'armée romaine et voyagea beaucoup avec elle, s'intéressa si fort à l'histoire naturelle que dans son grand ouvrage *De materia medica* (Sur la matière médicale), il décrit plus de quatre cents espèces de plantes d'Europe. Son livre fit autorité pendant quinze siècles et plus. Exception faite de la Bible, on peut le considérer comme le « best-seller » de son temps. Entendez par-là que ce fut l'œuvre la plus reproduite (à la main, bien entendu !).

Nous sommes, paraît-il, redevables aux Grecs de la culture en pot. Ou, plus exactement, aux Grecques... Les femmes athéniennes avaient en effet coutume, pour célébrer les fêtes d'Adonis, de semer des graines d'une venue rapide dans des vases ou des tessons de poteries : laitue, fenouil, froment et orge. Les plantes poussaient, se développaient rapidement, mais ne tardaient pas à se dessécher, symbolisant ainsi la mort prématurée du jeune amant d'Aphrodite.

La coutume, qui signifiait à l'origine le cycle reproductif de la vie de toutes les choses qui poussaient, en vint à représenter la non-durée et les plaisirs passagers de l'existence.

Les plantes en pot servaient de décoration aux statues du bel Adonis. On les plaçait également sur les toits plats des maisons durant toute la durée des fêtes, c'est-à-dire en période estivale.

IV   *L'Époque Romaine*

La description détaillée des villas de la Rome impériale et aussi les vestiges des petits jardins de la ville de Pompéi révèlent ce que fut, à l'époque, le premier essai sérieux d'une « horticulture d'agrément ».

Grands ou petits, les jardins romains étaient conçus avec un sens exact des proportions. Ils montrent également une connaissance profonde des éléments qui pouvaient le mieux convenir à ces lieux de plaisir et de délassement.

Précédemment, dans les jardins égyptiens, syriens et perses, on avait coutume de combiner l'utile et l'agréable en faisant pousser des arbres fruitiers, des plantes médicinales, et même, à l'occasion, des légumes décoratifs. On profitait des ombrages, on goûtait la fraîcheur des eaux... et on avait sous la main de quoi se rassasier et se désaltérer.

Les Romains, eux, n'acceptèrent pas de compromis. Ils se gardèrent de mélanger l'esthétique et l'utilitaire. Plantes comestibles et arbres fruitiers n'apparaissent que tout à fait accidentellement dans leurs jardins d'agrément. Ils préféraient cultiver à part vergers et potagers.

Dans l'Antiquité, l'État romain était une oligarchie. Il se divisait en quatre groupes : quelques familles énormément riches; la classe puissante des chevaliers ou *equites*, dont nul ne pouvait faire partie s'il ne possédait au moins 400 000 sesterces; la masse populaire (plus d'un million d'âmes sous le règne d'Auguste), composée de boutiquiers, d'artisans et d'artistes (tous généralement sous-alimentés et dépendant étroitement du gouvernement en ce qui concernait la nourriture); et enfin les esclaves, qui appartenaient corps et âme à leurs maîtres et ne jouissaient d'aucun droit civique ou social.

Planches

15. Restes de la colonnade de Canope, à la villa Adriana, près de Rome. A l'opposé se trouvait un nymphée de marbre. *(Susan McCartney.)*

16. Fresque d'un mur du pavillon de l'impératrice Livie. Au-delà du mur bas qui délimite l'espace vert poussent des palmiers, des lauriers-roses et une grande diversité d'arbres fruitiers. Un petit sentier sépare le mur de la barrière en lattis. La plupart des fleurs du jardin sont reconnaissables. Cette fresque, reconstituée, peut être actuellement admirée au museo delle Terme, à Rome. *(Scala, Milan.)*

17. Le piédestal, au centre du bassin bordé de lierre de la casa dei Postumi, supportait sans doute une statue de marbre ou de bronze. Dans les jardins de Pompéi, semblables à celui-ci, poussaient à foison violettes, roses et jacinthes. *(Photo prise par l'auteur.)*

34

16

Les Romains avaient le goût inné de la terre. Aussi l'immense fortune de certains leur permettait-elle d'acquérir de vastes domaines cultivés par une multitude d'esclaves. Par malheur, l'originalité artistique faisait le plus souvent défaut aux propriétaires de ces domaines. Ils se contentaient d'avoir un jardin bien peigné et de forme géométrique, toutefois moins strictement tracé qu'à une époque plus reculée.

La contribution la plus importante des Romains à l'histoire des jardins est certainement — ainsi que nous l'avons déjà signalé — le fait qu'ils savaient reconnaître la beauté et la valeur ornementale des végétaux, et firent du jardin le prolongement naturel et inséparable de la maison. De plus, leur amour de la terre et de tout ce qui en sort les conduisit à beaucoup planter.

Les rues de la Rome antique, étroites, sinueuses, sales, puantes et encombrées, étaient coupées de larges promenades et de grands espaces verts. De l'ombre, de l'herbe et des endroits spécialement aménagés pour le repos entouraient les monuments et les bains publics. Des parcs et des jardins embellissaient les célèbres sept collines de la cité. D'autres s'étiraient le long des rives du Tibre.

Pour gagner de la place au sein même de la ville, Rome se mit à construire des « immeubles à appartements », comme nous dirions aujourd'hui, de quatre ou cinq étages et aussi des « blocs » à habitations multiples que l'on appelait *insulae :* îles. On ne tarda pas à compter trente-six de ces logements groupés pour une maison individuelle. Rien n'est nouveau sous le soleil !

Tandis que la *domus* (maison) du riche possédait souvent un jardin intérieur, la majorité des gens vivant entassés dans les « îles » n'avaient pour se délasser et récréer leur vue que les promenades publiques, des fleurs en pot au bord de leurs fenêtres ou des plantes grimpantes autour de la balustrade de leur balcon.

Sous Néron, après le grand incendie de Rome, la plus grosse partie de la ville fut reconstruite de fond en comble. On en profita pour tracer des avenues plus larges que celles qui existaient auparavant et on les borda de nombreux arbres. On élargit également les rues dont l'atmosphère devint enfin respirable. Ce qui n'empêcha pas quelques mécontents — il y a des grincheux à toutes les époques et dans tous les pays — de regretter la pénombre et la fraîcheur des ruelles étroites et sombres d'autrefois.

Les jardins et les fleurs de Rome ont souvent été chantés. Au premier siècle de l'ère chrétienne, le poète satirique latin Martial décrit la cité comme étant « riche de la beauté du printemps et du charme capiteux de Flore » et possédant « des sentiers rutilants tout embaumés de roses ». Il se moque aussi d'un riche propriétaire qui avait tant de promenades, de plantations d'arbres et de fontaines qu'il en oubliait d'avoir une salle à manger et une chambre !

Bon nombre de nobles romains se firent construire des villas hors des murs de la cité pour fuir l'encombrement de la ville. Les splendides jardins dont ils firent entourer leurs maisons de campagne sont restés célèbres au cours des âges.

Le Palatin, au cœur même de Rome, abritait tour à tour les palais d'Auguste, de Tibère, de Caligula, de Néron et des Flaviens, leurs successeurs.

De nos jours, grâce aux fouilles actives des archéologues, les fondations de nombre de ces constructions ont été mises au jour. Cependant, beaucoup se trouvent encore enfouies sous les vestiges des jardins de la Renaissance plantés par-dessus.

17

A GAUCHE : peinture murale trouvée à Pompéi et représentant une villa au bord de la mer. Le bâtiment lui-même rappelle beaucoup la villa de Pline le Jeune à Laurente, et le cadre correspond tout à fait à la description laissée par l'écrivain des arbres traités en guirlandes de sa propriété de Toscane. La cime des arbres que l'on aperçoit derrière la maison évoque le vaste manège entouré d'une triple rangée d'arbres, également mentionné par Pline. *(Sir William Gell, Pompeiana, 1852.)* AU CENTRE : plan hypothétique de la villa et des jardins de Pline le Jeune à Laurente. Le restaurateur du XVIIIe siècle Robert Castell, de

Malgré tout, on peut se rendre parfaitement compte de la beauté de ces palais qui devaient forcer l'admiration avec leurs colonnades classiques, leurs cours intérieures et leurs toits d'or étincelants.

Quand les empereurs romains n'étaient pas occupés à guerroyer au loin, ils vivaient le plus souvent dans leurs jardins. C'est là que, volontiers, ils réglaient les affaires d'État, rendaient la justice... ou complotaient d'assassiner leurs rivaux.

Pline l'Ancien rapporte par ailleurs que « les maîtres de Rome prenaient souvent plaisir à cultiver leurs jardins de leurs propres mains ». En fait, les jardins de la Rome antique étaient tellement appréciés, on en retirait si grande jouissance, que les jardins impériaux étaient ouverts au public. Jules César, par testament, alla même jusqu'à léguer les siens au peuple.

Le plus célèbre de tous les palais impériaux fut sans conteste la fameuse *Domus Aurea* de Néron, la Maison d'Or. Ce n'était pas la résidence primitive que Néron occupait sur le Palatin, mais une autre, qu'il fit construire après le grand incendie de Rome, en l'an 64. Elle couvrait une vaste étendue et possédait des jardins immenses. Dessinée par deux architectes grecs, elle contenait des fresques et des milliers de statues..., entre autres celle de Néron, énorme, monstrueuse, qui accueillait les visiteurs à l'entrée. Car Néron aimait beaucoup recevoir. Il n'était jamais aussi content que lorsque les gens venaient pour admirer ses vignes, ses champs de blé, ses bois, où il entretenait un nombreux gibier, son immense pièce d'eau et ses cascades. Détail sinistre de ses réceptions : on rapporte — à tort ou à raison — que ce charmant monarque avait coutume de transformer des chrétiens en torches vivantes pour éclairer ses jardins. Après la mort de Néron, chacun fit de son mieux pour détruire tout ce qui pouvait rappeler sa mémoire, et, lorsque Vespasien eut fini de reconstruire Rome, la vaste pièce d'eau

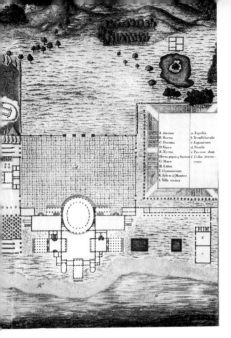
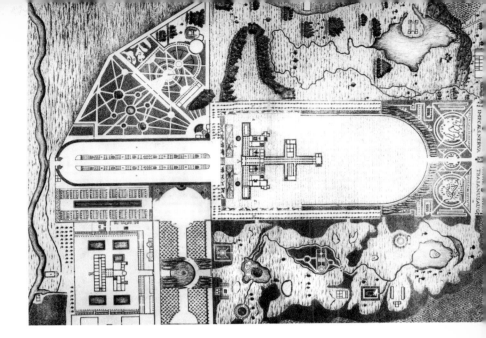

Londres, a sans doute voulu évoquer le type d'architecture romaine « à piliers »; ce serait une heureuse reconstitution des jardins classiques de l'époque (62 av. J.-C.) si l'auteur n'avait cru bon d'ajouter à l'ensemble un « jardin paysager » romantique de son propre temps. A DROITE : restauration, par Castell, de la propriété de Pline en Toscane. Les jardins d'époque sont bien indiqués, mais, là encore, l'artiste n'a pu s'empêcher d'ajouter des détails typiquement anglais. *(Les deux plans proviennent de la New York Public Library, Print Department.)*

de la *Domus Aurea* devint l'amphithéâtre flavien, connu aujourd'hui sous le nom de Colisée. Ce mot de « colisée » ne lui vient pas de sa taille, pourtant énorme, mais de la statue colossale de Néron qui se dressait jadis tout près.

Pour les riches patriciens qui désiraient entourer leurs demeures de vastes jardins, le Pincio et le Janicule, deux des collines romaines au bord du Tibre, devinrent des lieux de prédilection. Au dernier siècle avant notre ère, le Pincio s'enorgueillissait de la villa de l'historien Salluste et de celle de Lucullus, l'un des généraux de Pompée. Le mont Pincio, d'ailleurs, fut très vite appelé « la colline des Jardins ». Dans le parc entourant sa résidence (où se trouve actuellement la villa Médicis), Lucullus avait fait placer des statues rapportées de ses campagnes. Il était d'ailleurs fréquent, à l'époque, de voir les jardins s'agrémenter de trophées de guerre.

Autre résidence demeurée célèbre : la villa de l'empereur Adrien à Tivoli (qui s'appelait alors Tibur), à une trentaine de kilomètres de Rome. Adrien avait demandé à ses architectes de reconstituer pour lui les monuments qui l'avaient le plus impressionné au cours de ses voyages à travers l'empire : la vallée de Tempé, un amphithéâtre grec, une académie, un lycée et une colonnade de Canope étaient dispersés dans le vaste complexe d'arcades, de péristyles, de bassins et de terrasses qui composaient ses jardins.

Après la mort d'Adrien, toutes ces beautés furent pillées. Puis l'endroit devint un repaire de brigands, tant et si bien qu'on finit par raser exprès ce qui restait encore debout. Fort heureusement, tout n'a pas disparu. Des fouilles assez récentes ont permis de dégager la magnifique colonnade de Canope qui entoure une pièce d'eau au bout de laquelle se trouve un nymphée de marbre. (Le *nymphaeum* était un petit temple agrémenté d'une fontaine jaillissante, imité des sanctuaires champêtres que les Grecs érigeaient à proximité d'une source.) Un bassin long et étroit s'appelait alors

41

couramment un Nil et le nom de Canope était on ne peut plus approprié puisqu'il désigne une ville égyptienne proche d'Alexandrie. Au nombre des statues retrouvées figure un crocodile égyptien.

Au cours des torrides étés romains, les riches familles de la cité avaient coutume de s'en aller goûter la fraîcheur de leurs résidences champêtres au bord de la mer ou à la montagne. Beaucoup de Romains, aussi, tiraient une partie de leurs ressources des terres qu'ils possédaient hors de la ville. Certains même finissaient par se retirer dans leurs propriétés, où ils achevaient paisiblement leurs jours.

Pline le Jeune, dans une lettre qu'il écrivit en l'an 62, dépeint à un ami deux de ses résidences préférées : l'une où il aimait aller se reposer, l'autre qui lui rapportait. Il parle de ses distractions à la campagne, des arbres qu'il a plantés, de la disposition des jardins, du cadre environnant. Pline possédait cinq cents esclaves qu'il employait tant à sa maison romaine que dans ses résidences campagnardes.

Sa demeure de prédilection était celle de Laurente, au bord de la mer, près d'Ostie, c'est-à-dire à deux pas de Rome. Les communications étaient donc très faciles, commodité appréciée par les amis de l'écrivain, dont l'hospitalité était proverbiale. La salle à manger *(triclinium)* « avançait sur la plage et s'ouvrait largement aux vents d'Afrique ». Pline prenait grand soin de ses plantations d'arbres et de fleurs, veillant à ce que l'air marin ne leur portât pas dommage. Il nous décrit avec complaisance ses magnifiques jardins, avec ses roses, sa vigne et aussi ses endroits de délassement, de sport ou de plaisir. Il parle également d'une terrasse *(xystus)* « embaumée de violettes ». Douce résidence où il faisait bon venir l'hiver !

La villa de Laurente (aujourd'hui Paterno) n'était pas plus somptueuse cependant que celle que Pline possédait en Toscane, au pied des Apennins. Là, on séjournait de préférence l'été. Il y faisait alors très frais. En revanche, l'hiver y était vif au point que « les oliviers ne pouvaient prospérer ». Mais il y avait des lauriers en abondance. La description que nous a laissée l'auteur de ce domaine enchanteur est plus détaillée encore que la précédente. La maison donnait au midi et son entrée à portique dominait une terrasse.

Une rampe en pente douce (les Romains n'avaient pas d'escalier dans leurs jardins à flanc de colline) était bordée d'arbres taillés en forme d'animal et aboutissait à une esplanade de gazon ornée de plantes décoratives. Une « promenade » en faisait le tour *(ambulatio)*. Il y avait encore un *gestatio,* autre sorte de promenade où l'on pouvait se livrer à des exercices physiques.

De l'autre côté de la villa était aménagé un vaste manège entouré d'arbres. Une fontaine, jaillissant d'un bassin de marbre, entretenait une fraîcheur constante et rendait la végétation particulièrement vivace. Lierre et vigne formaient des guirlandes qui reliaient les arbres les uns aux autres : ceux-ci étaient pour la plupart des platanes. Cependant, à l'extrémité arrondie de l'hippodrome s'élevaient des cyprès « pour varier un peu et donner une ombre plus épaisse ». Quant aux allées, qu'on se les représente « ensoleillées et embaumées du parfum des roses ».

« Après plusieurs détours on rentre dans une grande allée rectiligne qui, des deux côtés, en a plusieurs autres, séparées par des buis. Là est une petite prairie. Ici le buis même est taillé en mille figures différentes, quelquefois en lettres qui forment le nom du

42

maître ou celui du jardinier. Dans la bordure alternent de petites bornes et des arbres fruitiers, comme si la simple campagne intervenait tout à coup, apportée dans l'œuvre symétrique de l'art. Un double rang de moyens platanes occupe le milieu. Aux platanes succède l'acanthe flexible serpentant de tous côtés et ensuite plusieurs figures et noms en buis.

« Au bout, sous une vigne qui le protège, s'offre un banc de marbre blanc. La vigne s'appuie sur quatre colonnettes de marbre carystien. Du banc même s'échappe, comme sous le poids de ceux qui s'y reposent, une eau que de petits tuyaux conduisent par une auge de pierre à un bassin de marbre, qui se remplit sans jamais déborder. Lorsqu'il me prend la fantaisie de manger là, les plats peuvent être disposés sur la margelle. Les plus légers flottent librement dans des corbeilles en forme de navire ou d'oiseau. Une fontaine, près de là, donne et résorbe l'eau : le jet s'élance et retombe sans cesse.

« Vis-à-vis du banc est une chambre de marbre poli. Ses portes donnent sur une pelouse. En regardant par ses fenêtres l'œil n'aperçoit que verdure... En différents autres endroits sont disposés des sièges de marbre destinés, comme la chambre, à reposer ceux qu'a lassés la promenade. Chacun a sa petite fontaine. A travers tout le manège murmurent, en de petits canaux, des ruisseaux dociles au cours que la main de l'homme a tracé. »

La remarquable description de Pline nous permet de nous représenter les autres jardins de l'époque. L'art horticole avait fait alors d'énormes progrès. L'emploi du gazon était fréquent. D'autres écrivains signalent l'existence de serres où l'on faisait venir des roses particulièrement belles qui pouvaient s'épanouir là hors saison.

L'*Histoire naturelle* de Pline l'Ancien, oncle de Pline le Jeune, est une source d'information en ce qui concerne les arbres, les arbustes et les plantes qui ornaient les jardins particuliers et les promenades publiques à cette période de l'empire. Le platane et le sycomore étaient couramment employés. Pline rappelle que Virgile ne trouvait rien de plus beau qu'un pin parasol dans un jardin. Le cyprès, lui aussi, était d'un emploi courant. Le laurier (*Laurus nobilis*) et le myrte commun (*Myrtus communis*) étaient d'autant plus appréciés qu'on pouvait en faire des couronnes. Pline mentionne également le buis et le lierre, la fougère, la pervenche (*Vinca major*) et douze variétés de roses. Il y avait aussi des violettes (blanches, violettes et jaunes), des jacinthes, des lis, des narcisses, des iris, des anémones, des pavots, de la verveine, des figuiers de barbarie, des crocus et des lauriers-roses. La plupart de ces plantes fleurissent au printemps, les étés italiens étant trop torrides pour permettre la bonne venue d'autres espèces.

Plus Rome devenait surpeuplée, plus on construisait de luxueuses villas à la campagne ou sur les rivages aérés de la mer. Pompéi et Herculanum étaient alors fort à la mode : on venait y faire des cures thermales. Sises dans une contrée fertile, vivant de navigation et de pêche, protégées par d'excellentes défenses naturelles, ces villes anciennes devaient leur existence aux colonies grecques, plus anciennes encore, qui les avaient précédées sur la côte.

Herculanum, semble-t-il, était un endroit particulièrement chic, avec de belles villas dotées de pergolas, de colonnades et de terrasses dominant la mer. Pêcheurs et artisans de la ville formaient la classe prolétarienne. Pompéi, plus vaste et moins bien fréquenté qu'Herculanum, se transforma vite en une ville bruyante, surpeuplée, et les vieilles familles préférèrent souvent aller s'installer ailleurs, laissant la place à une classe de nouveaux riches qui paradaient à grand fracas.

Dans les deux villes, l'architecture s'inspirait de celle des Grecs. Dans des maisons mises au jour à Pompéi on voit couramment le péristyle grec combiné à l'atrium romain, ce qui donne des habitations presque sans fenêtres, et groupées autour de cours intérieures.

L'entrée habituelle était l'atrium, avec une ouverture au plafond pour laisser passer la lumière (et primitivement la fumée). Au-dessous se trouvait un petit bassin appelé impluvium et destiné à capter les eaux de pluie. Comme les invités étaient souvent reçus dans l'atrium, celui-ci était en général joliment décoré. De cette entrée un couloir conduisait à une large cour intérieure, le péristyle, où la famille se tenait d'ordinaire. Cette cour était entourée d'une promenade couverte, à colonnade, alors que le centre restait à ciel ouvert, formant ainsi une sorte de jardin. Si elle contenait des bassins et des fontaines, le jardin, purement ornemental, prenait le nom de viridarium. Sinon on l'appelait péristyle. Le triclinium ou salle à manger s'ouvrait sur cet espace vert.

Grâce aux fouilles de Pompéi nous savons combien ces « coins verdure » pouvaient être charmants. Des parterres de fleurs étaient bordés de lierre, de buis, et étalaient aux yeux une profusion de roses, de jacinthes, de violettes. De petits arbres, dont les restes calcinés ont été retrouvés, nous permettent d'avancer que poiriers, figuiers et grenadiers figuraient souvent dans la décoration horticole de ce temps. Un système de tuyaux et de ruisseaux alimentait fontaines, jets d'eau, bassins et cascades. Des statues de marbre et de bronze complétaient la décoration.

Plusieurs maisons possédaient, outre le péristyle, des coins où se dressaient des pergolas couvertes de vigne. Un de ces jardins en forme de T, dépendant de la villa de Loreius Tiburtinus, est certainement l'un des plus intéressants de Pompéi. La maison possédait aussi un petit escalier qui conduisait à un jardin sur le toit. Les toits plats, ensoleillés, étaient en effet souvent décorés d'arbres, d'arbustes et de plantes en pot qui rendaient plus riant l'aspect de ces solariums. Certains de ces toits à terrasse, même, s'ornaient de coquettes pergolas.

Le plan de la maison de Castor et Pollux, à Pompéi, révèle une habitation d'un luxe extrême, comportant plusieurs salles à manger et trois jardins. Le grand jardin situé dans le péristyle, derrière la maison, comporte un autel pour les dieux lares. Le jardin de devant contient une vaste pièce d'eau où il était possible de pêcher.

A Pompéi, il était d'usage courant d'orner les murs intérieurs d'une demeure de scènes tirées de la mythologie, ou encore idéales. Certaines aussi se rapportaient à des sujets religieux. Les maisons étaient petites. Aussi les artistes devinrent-ils habiles à peindre des scènes champêtres en trompe-l'œil qui faisaient paraître les pièces plus grandes en élargissant la perspective. Ces fresques ont beaucoup aidé à connaître les végétaux utilisés par les anciens Romains en matière de décoration. Nous savons également par elles quelles sortes d'oiseaux enchantaient les jardins de l'Antiquité : paons et oiseaux chanteurs.

La plus belle scène de jardin peinte en ces temps-là est certainement celle qui décorait la résidence d'été de Livie, la femme d'Auguste. Cette maison se trouvait à quelque

44

six kilomètres de Rome, à Prima Porta. Bâtie sur un plateau, elle avait vue sur le Tibre, le mont Albain et les Apennins. La caractéristique la plus originale de cette villa était une pièce souterraine sans fenêtres et dotée d'une seule porte. Les quatre murs étaient décorés de fresques représentant des arbres, des arbustes et des fleurs d'une manière si continue qu'on avait l'impression de se trouver au centre d'un jardin clos d'une balustrade basse. Des oiseaux sont perchés sur les branches. Avec un peu d'imagination on pouvait les entendre chanter. L'ensemble, d'une grande beauté et de couleurs vives, était un régal pour l'œil. Quiconque a pu apprécier l'agréable fraîcheur d'une cave en période de canicule comprendra à quel point il devait être agréable de séjourner dans un endroit pareil au cœur de l'été. Ces fresques sont actuellement visibles au musée national de Rome. Pline le Jeune nous a laissé la description d'une chambre souterraine similaire dans sa villa toscane. Elle ressemblait à une crypte « qui, au milieu de l'été, gardait enclose une délicieuse fraîcheur ».

Les Romains, sensuels et voluptueux, recherchaient constamment la nouveauté dans le plaisir. Pline l'Ancien nous parle d'un énorme platane dont le tronc évidé était capable de contenir dix-huit convives. Des grottes de moindre importance se rencontraient souvent dans les jardins. Certaines étaient artificielles : faites de tuf ou de lave, elles étaient décorées de coquilles. Un autre platane, comportant une plate-forme sur laquelle on pouvait tenir un banquet, faisait l'orgueil de Caligula, qui, parfois, festoyait dans ses branches avec treize invités.

Il n'est pas certain que l'amour de l'horticulture ait eu une influence « civilisante » sur les Romains. En tout cas, le plaisir qu'ils éprouvaient à jardiner ou à faire décorer leurs demeures a contribué à développer l'art des jardins.

Au Ve siècle, Goths et Vandales pillèrent Rome. Comme le reste, les magnifiques résidences furent saccagées. Il ne resta plus que ruines et cendres. Plusieurs siècles d'obscurité devaient s'écouler avant que le pays ne se relevât enfin.

Planches

18. Jardin de Marcus Lucretius, à Pompéi. Beaucoup de statues ornaient cette paisible retraite. On y voit aussi un petit escalier de marbre. L'eau d'une fontaine coulait le long des marches pour se déverser dans un bassin. Cette sorte de décoration était fréquente dans les jardins de Pompéi. *(Soprintendenza alle Antichita della Campania, Naples.)*

19. Péristyle et jardin d'agrément *(viridarium)*, maison de Méléagre, Pompéi. Au centre du bassin superbement dessiné, un jet d'eau. On aperçoit une volée de marches le long desquelles s'écoulait la paisible cascade. *(Soprintendenza alle Antichita della Campania, Naples.)*

20. Fresque trouvée à Pompéi. Elle évoque une pergola. Maison des Vetti. *(Anderson.)*

21. Arbres fruitiers et oiseaux chanteurs apparaissent si fréquemment sur les fresques de Pompéi qu'ils constituaient certainement des éléments de choix dans la décoration des jardins. *(Soprintendenza alle Antichita della Campania, Naples.)*

22. Peinture représentant une fontaine de marbre semblable à celles qui ornent en général les péristyles de Pompéi. Un réseau bien conçu de tuyaux en plomb alimentait fontaines et bassins. *(Soprintendenza alle Antichita della Campania, Naples.)*

23. Tonnelle à vigne grimpante et grotte couverte de lierre sont les principaux éléments de ce tableau champêtre peint sur les murs d'une villa de Boscoreale. Sur le panneau de droite, on peut voir une plante en pot ornant le toit d'un petit solarium. *(Metropolitan Museum of Art, Rogers Fund, 1903.)*

24. Villa au bord de la mer. Une agréable promenade conduisait à un belvédère d'où l'on avait une vue magnifique sur la mer et les falaises. Fresque trouvée à Pompéi et représentant la chute d'Icare. *(Musée national de Naples.)*

25. A Pompéi, on ne connaissait pratiquement pas l'emploi des fenêtres. La lumière du jour se déversait à l'intérieur directement, par des entrées donnant sur les jardins ou sur des cours intérieures. De ce fait, il arrivait que certaines pièces fussent sombres. D'après cette peinture murale, on a l'impression de plonger dans un jardin vu à travers une fenêtre aux larges dimensions. Le jardin, représenté sur cette fresque avec une grande minutie, s'orne d'une statue « de marbre » presque grandeur nature. *(Soprintendenza alle Antichita della Campania, Naples.)*

26. Vue longitudinale du jardin de Loreius Tiburtinus. L'élément aquatique entre pour une large part dans la décoration. Cette villa était une des plus vastes de Pompéi. Elle était bâtie un peu à l'écart de la ville, loin de ses encombrements. *(Soprintendenza alle Antichita della Campania, Naples.)*

27. La villa Adriana (villa d'Adrien) : le Nil et la colonnade. *(Alinari.)*

21

22

23

24 25

V   *Les Jardins d'Islam*

PERSE

Le flambeau de la culture fut rallumé au VIIe siècle, quand les Arabes commencèrent à propager la foi musulmane dans les pays de la Méditerranée. Au cours des dix mille années qui suivirent, l'héritage horticole se trouva préservé par deux grandes religions : le christianisme et l'islamisme.

Les musulmans, suivant les préceptes du Coran, ne se contentèrent pas d'opérer des conversions en prêchant l'exemple. Ils imposèrent leur religion par la force brutale des armes.

La Perse — non pas seulement l'Iran actuel, mais un territoire beaucoup plus vaste englobant le Turkestan et l'Irak — fut le premier pays qu'ils soumirent. Des siècles durant, les fidèles disciples de Zoroastre avaient adoré les quatre éléments naturels : la terre, l'air, l'eau et le feu. Cette adoration de la nature, du reste, est demeurée l'un des traits fondamentaux de la Perse, bien que les croyances religieuses aient changé. Comme tous leurs frères de race, les Orientaux soumis par les Arabes avaient une propension à conserver les mêmes coutumes, les mêmes traditions et le même mode de vie pendant des siècles et des siècles. Les Perses gardèrent toujours, pour leur part, leur amour inné des arbres et des jardins. Leur vie se passait presque tout entière en communion avec la nature.

L'islamisme différait de la religion primitive des Perses de bien des manières, mais, comme elle, affirmait que le Ciel, ou Paradis, était un jardin. Le Coran enseigne que le

28. Cette miniature illustre une célèbre légende populaire, *le Duel des médecins*. Elle nous montre un jardin persan typique du XVIe siècle. Le grand sycomore et le petit pavillon protégeaient des ardeurs du soleil. A gauche, le cyprès et l'arbre fruitier, souvent associés, semblent être le symbole de la vie et de la mort, de même que le cyprès de droite et le jeune saule jaillissant d'une vieille souche. A gauche, nous reconnaissons facilement un peuplier. Sous le sycomore, un rosier. On distingue également des iris, des roses trémières, des pavots et des narcisses. *(Musée britannique.)*

Jour du Jugement aura pour cadre des jardins d'agrément où les élus, étendus sur des couches somptueuses, seront servis par de jolies filles et pourront se gaver de quantité de bonnes choses. Ils bénéficieront, de plus, de deux jardins éternellement verdoyants, ombragés d'arbres et rafraîchis par des sources et des fontaines jaillissantes. Suit l'énumération de délices incomparables, y compris la dégustation à gogo de dattes et de grenades, toujours dans un décor de jolies filles. (Le Coran ne s'inquiète guère du paradis des femmes, mais les hommes devaient glorifier Allah de leur en avoir constitué un si beau!)

Traditionnellement quatre facteurs essentiels intervenaient dans la composition des jardins persans : l'eau, qui servait tant à irriguer le sol qu'à alimenter les bassins; l'ombre, qui assurait la fraîcheur et un confortable repos; les fleurs, qui dispensaient couleurs et parfums; enfin la musique, pour réjouir l'oreille. Les arbres étaient fruitiers, décoratifs ou appartenant à des variétés à feuillage persistant. Jamais on ne leur imposait des formes en les taillant. Les plantes étaient généralement des espèces sauvages, patiemment acclimatées, puis soigneusement cultivées : rosiers, lilas, aubépine et autres arbrisseaux. Le fond sonore était en général fourni par une voix qui chantait, des instruments à corde jouant en sourdine, des oiseaux en train de pépier, ou même un simple jet d'eau retombant dans un bassin.

Un grand nombre de jardins persans d'autrefois étaient divisés en quatre parties par des rigoles. C'était le symbole de l'univers coupé en quatre par quatre grands fleuves, notion que l'on retrouve dans l'Ancien Testament, qui nous dépeint l'Éden. Là où les rigoles se rencontraient on trouvait soit une pièce d'eau soit un monticule pour représenter la montagne parfois décrite comme occupant le centre de l'univers.

De fantastiques descriptions de jardins persans truffent les récits du xᵉ siècle, rapportés par des ambassadeurs byzantins après un voyage à Bagdad. Les califes de cette prestigieuse cité possédaient, paraît-il, les plus merveilleux jardins du monde.

On y trouvait à profusion des colonnades et des bassins de marbre rehaussés de métaux précieux, des sièges d'or garnissant les pavillons d'été, et on a même parlé d'un arbre d'or et d'argent dans lequel des oiseaux, également d'or et d'argent, sifflaient lorsque la brise les caressait. Les ambassadeurs byzantins avaient été vivement frappés aussi par les palmiers nains (importés par les Arabes), dont les troncs peu gracieux étaient dissimulés sous un revêtement de teck cerclé d'or. Et ils décrivaient avec force détails les immenses ménageries qu'entretenaient les califes. Ces ménageries étaient une survivance des parcs ou réserves de chasse des Persans de l'ancien temps.

Les visiteurs ne cessaient de s'extasier sur les merveilles contenues dans les jardins royaux de la Perse. En 1587, un voyageur italien plein d'enthousiasme célèbre le palais de Hasht Bihisht, à Tabriz. Il le dépeint comme « sis au milieu d'un parc immense où se trouvent mille fontaines, mille ruisseaux, mille ruisselets ». De son côté, le jardin de Shah Abbas était célèbre pour ses grands bassins (dont un entourage de tuiles bleues faisait paraître l'eau plus profonde), pour ses fleurs et pour ses pavillons.

Nous pouvons nous faire une idée de ces édens persans en considérant des enluminures des xvᵉ et xvıᵉ siècles, période qui a suivi la grande invasion mongole. Après une conquête sans douceur, les Mongols imprimèrent une couche de leur propre culture sur les traditions persanes, cependant qu'eux-mêmes assimilaient en partie la civilisation des vaincus. Les miniatures peintes illustrent en général des légendes ou reproduisent les occupations des princes. Visions idéales d'amants dans un jardin, festins en plein air, plaisirs champêtres et affaires d'État étaient d'ordinaire les thèmes exploités par les artistes.

Les abris de jardin étaient aussi nombreux que variés. Appelés *chabutra,* ces abris étaient composés d'une estrade entourée d'une grille, placée sous un arbre et souvent protégée par un dais. Les uns étaient portatifs, les autres fixes.

La forme des bassins est également intéressante à étudier. Certains étaient rectangulaires ou carrés, certains encore avaient la forme d'une croix. D'autres, plus fouillés, formaient des médaillons, des arabesques. Mais tous étaient infiniment plus compliqués que les simples bassins circulaires. Tous également étaient bordés de tuiles. Alimentés par des rigoles, la plupart s'agrémentaient d'un jet d'eau central. Nulle part on ne trouve de statues. Le Coran, en effet, interdit la reproduction de personnages. Aussi l'art de la sculpture ne se développa-t-il guère chez les musulmans.

Les peintures du monde islamique associent souvent deux arbres symboliques : le cyprès, qui représente la mort (il ne repousse plus lorsque le tronc est abattu), et l'amandier (ou le prunier) en fleur, qui évoque la vie et l'espérance. Le sycomore était fort apprécié, car il était grand dispensateur d'ombre. Peupliers, ormes, chênes, érables, saules, frênes, myrte et lentisques poussent également en Perse, et tous ont leur place dans les jardins. Ces arbres à l'ombre fraîche étaient plantés le long des murs de clôture et dans les avenues, où on les faisait alterner avec des arbres fruitiers plus petits tels qu'abricotiers, pommiers, poiriers, grenadiers, cerisiers, amandiers, figuiers ou noyers. La vigne s'élançait volontiers à l'assaut des murs de jardin et des pergolas.

Les fleurs étaient très chères au cœur des Persans, qui déploraient la brièveté de leur floraison. Sur les hauts plateaux, le printemps éclatait chaque année comme un miracle, mais ne durait, hélas! que quelques semaines. Au moment de la fonte des neiges, les arbres fruitiers se couvraient de fleurs. A leurs pieds sortaient de terre des narcisses, des tulipes, des jacinthes, des fritillaires. Un peu plus tard s'épanouissaient lilas, jasmin, œillets roses et rouges, primevères, violettes, iris, anémones, pariétaires, cyclamens, pavots, roses trémières, lis et roses.

Les roses étaient largement utilisées. Elles étaient de toutes les couleurs. Les Perses en connaissaient de très nombreuses variétés. Aussi la rose jouissait-elle d'une grande vogue. Ce fut du reste toujours une fleur particulièrement appréciée. Les anciens Romains en raffolaient. Certains chrétiens l'adoraient comme le symbole de l'amour divin. Mais nul ne sut utiliser la reine des fleurs aussi splendidement que les Perses, amoureux des jardins et de la nature. A l'époque de sa floraison, ils la célébraient par de grandes fêtes en plein air. Au cours de ces réjouissances, on buvait du vin. A ce propos, un poète a écrit : « A la saison des roses, chacun se doit de boire en leur honneur, car les roses ne nous rendent visite que quarante jours dans l'année. »

En fait, les poètes sont unanimes à chanter la belle fleur. C'est Sapho qui, la première, donna à la rose son titre de « reine des fleurs ». Et cette reine on la trouve reproduite non seulement sur des manuscrits enluminés, mais aussi sur des assiettes, des bols, des tuiles peintes. A Chiraz, l'intérieur d'une magnifique mosquée était entièrement décoré de dessins de roses. Le vert des feuilles était fait de malachite et... d'émeraudes.

Planches

29. Miniature persane peinte au xvie siècle. Un sultan tient audience dans son jardin. Celui-ci est divisé en quatre sections par des rigoles partant du bassin central. Le sol est carrelé. Sur beaucoup de manuscrits enluminés on peut en effet constater que les cours et allées sont carrelées de tuiles vertes. Caractéristiques de tous ces jardins, l'abri ou *chabutra*, la balustrade, les deux cyprès et l'arbre fruitier. *(Metropolitan Museum of Art, Hewitt Fund.)*

30. Fragment d'un « tapis-jardin » persan. Des arbres sont plantés autour de pièces d'eau octogonales. Sous leurs branches feuillues s'étalent des massifs de fleurs en damiers. Bordant le large canal du centre, des cyprès alternent avec d'autres petits arbres décoratifs. De nombreux oiseaux nichent dans ce jardin. *(Metropolitan Museum of Art, Theodore M. Davis Collection.)*

31. Jardin dit « d'Éram » de la ville de Chiraz, en Perse méridionale. Ses perspectives nous révèlent les dimensions réelles des jardins peints en miniature. *(Life. Photo Ralph Crane.)*

32. Un trône d'or constitue un précieux et royal arrière-plan aux multiples activités dont ce jardin clos est le cadre. Le bassin rond du milieu forme un saisissant contraste avec la montagne toute simple du fond et le ruisseau « nature » qui serpente à travers le pré. Cette miniature illustre l'un des poèmes de Nizami, et date du xvie siècle. *(Musée britannique.)*

33. Détail d'un des premiers manuscrits persans enluminés : *le Sage Buzurjmihr s'entretenant avec le roi Anushirvan.* Le monarque est installé dans l'abri appelé *chabutra. (Musée britannique.)*

58

29

30

32

Comme ils retiraient d'infinies jouissances de leurs merveilleux jardins, les Perses songèrent à prolonger ces plaisirs au cours des longs et froids hivers de leur pays. Ils inventèrent alors le « tapis-jardin ». Plusieurs de ces tapis, miraculeusement préservés, sont arrivés jusqu'à nous. On y retrouve les bassins alimentés par des rigoles, parfois peuplés de poissons, qui occupaient le centre des jardins persans. En bordure de ces rigoles, nous voyons encore, stylisés, des arbres et des fleurs. L'arbre le plus couramment reproduit est le cyprès. Des oiseaux se nichent dans le feuillage. Des massifs de fleurs carrés, avec parfois un arbre au centre, décorent le reste de la surface du tapis.

Les tapis persans aidaient les gens à supporter les rigueurs hivernales. De plus, ils « habillaient » chaudement le sol et les murs à une saison où les carrelages semblaient très froids.

Un tapis remarquable, *le Tapis d'hiver* ou *le Printemps de Chosroès,* est devenu historique sinon légendaire. Il mesurait, dit-on, plus de cent cinquante pieds de long sur soixante-quinze pieds de large. On le considérait comme l'un des plus précieux trésors du palais du roi Chosroès. Les fruits des arbres et les fleurs des massifs étaient représentés par des pierres précieuses. Le tapis lui-même était en partie tissé d'or ; les rigoles en cristal ; les troncs des arbres d'or et d'argent, les feuilles en soie [1].

Par malheur, au VIIe siècle, cette merveille des merveilles tomba aux mains des Arabes barbares, et nul ne sait ce qu'il advint de lui.

Pendant des siècles et des siècles les Perses considérèrent leurs jardins comme une source de joie et de beauté. Mais aussi, à l'instar d'autres Orientaux, ils les utilisaient comme lieu de méditation. C'était à leurs yeux, toutes proportions gardées, une manière de paradis terrestre.

INDE

Malgré les invasions des barbares mongols et des sauvages tartares, aux XIIIe et XIVe siècles, la culture persane survécut, et son héritage horticole ne périt pas davantage. On doit même, en vérité, dire qu'au cours de ces deux siècles des jardins persans d'une extrême beauté furent créés par les conquérants eux-mêmes, sous le règne de six grands empereurs, entre 1483 et 1717.

Le premier empereur mongol était Baber, « le Tigre », dont l'ancêtre Tamerlan avait réduit Samarcande. Avec l'aide des Perses eux-mêmes, Baber (que l'on appelle aussi Babur ou Babar) essaya de reprendre cette ville à trois reprises, mais, ayant échoué, il se tourna vers l'Inde. Dans son camp retranché de Kaboul (aujourd'hui capitale de l'Afghanistan), il créa dix jardins dont il parle dans ses Mémoires. Celui qu'il préférait, Bagh-I-Vafa, ou jardin de la Félicité, fut tracé en 1508. Une miniature de l'époque représente l'empereur dans son jardin divisé en quatre. Un mur de briques et des arbres entourent des massifs de fleurs. C'est là, sans l'ombre d'un doute, un jardin typiquement persan, tout à fait différent des jardins naturalistes de l'Inde bouddhiste. L'empereur transporta sa capitale à Agra en 1526 et y construisit le jardin de Ram Bagh, qui existe toujours et où il fut provisoirement enterré avant que sa dépouille mortelle ne fut transférée à Kaboul.

34. Une princesse indienne se repose dans un cadre ravissant : massifs de fleurs aux couleurs vives, pavillons ornés de mosaïque, fontaines jaillissantes. Miniature du XVIIIe siècle. (*Free Library of Philadelphia. Photo Roche.*)

Les jardins d'agrément de ces grands empereurs mongols et tartares leur procuraient de grandes joies pendant leur vie... et parfois aussi une sépulture après leur mort. Les pavillons que l'on rencontre souvent au centre d'un bassin étaient utilisés pour des repas, des réceptions, ou encore comme lieux de repos. De repos définitif quelquefois, quand leur propriétaire voulait y être enseveli. Des pavillons plus petits abritaient parfois les corps des autres membres de la famille.

Le plus célèbre de ces jardins-mausolées est, comme nul ne l'ignore, le fameux Taj Mahal, à Agra, que Shah Jahan fit construire pour son épouse favorite, une jeune femme perse morte en couches en 1631. Les grands plans d'eau, qui reflètent la beauté du monument de marbre blanc et expriment la sérénité de la mort, réfléchissent également les nuages mouvants qui évoquent tout ce qui passe et pousse. Contraste : les cyprès élancés, symbole de mort, et les bordures de fleurs multicolores, qui éclatent de vie.

Au cours des brûlants étés indiens les empereurs et leur cour se transportaient dans la vallée du Cachemire, imités, bien des siècles plus tard, par les classes dirigeantes britanniques et les touristes. Dans cette partie reculée du monde, gardée par les monts couverts de neige de l'Himalaya, on trouve encore de nos jours les plus beaux jardins de tous les temps. Il faut dire qu'ils doivent en grande partie leur beauté au décor qui les entoure : montagnes élevées qui descendent jusqu'à la fertile vallée du Jhelum, dont le cours s'élargit parfois jusqu'à former des lacs. Des lotus roses fleurissent parmi les roseaux du bord. Sur les rives du fleuve, de grands arbres à feuillage persistant ajoutent à la splendeur du cadre.

La plupart des jardins du Cachemire étaient dessinés en terrasse. Les sources de la montagne alimentaient les chutes d'eau qui les traversaient en bondissant. Ces eaux terminaient leur course dans des bassins rectangulaires, où des jets en forme de bouton de lotus les renvoyaient en l'air. Parfois des pavillons étaient construits sur ces bassins. La fraîcheur de leurs marbres était alors entretenue par les eaux jaillissantes.

Le plus célèbre jardin du Cachemire, Shalimar, sur le lac Dal, est accessible par bateau. Protégé par un mur de clôture, il se compose de quatre terrasses. Rien ne manque à sa splendeur, pelouses de velours vert ombragées de beaux arbres et éclatants massifs floraux. Chaque terrasse avait son utilisation spéciale et était ornée de fleurs, d'arbres et agrémentée d'un pavillon. Sur l'une de ces terrasses, l'empereur tenait des audiences publiques, assis sur un trône de marbre noir. Une autre terrasse formait le jardin personnel du souverain, avec un pavillon réservé à ses audiences privées. La plus haute de ces terrasses, enfin, le Berceau de l'amour, était réservée à l'empereur et à sa cour. Au centre se dressait un pavillon de marbre noir, qui se mirait dans une vaste pièce d'eau. L'ensemble de Shalimar s'agrémente du murmure de jets d'eau retombant dans des bassins.

Chaque été l'empereur Jahangir, quatrième de la dynastie de Baber, se transportait à Shalimar avec sa cour, son harem et ses serviteurs, à dos d'éléphant, en char à deux roues et en chaise à porteurs. La beauté du décor et sa haute altitude en faisaient un séjour enchanteur en période de canicule.

Le mot *bagh* était employé par les Perses et les Mongols pour désigner à la fois la maison de résidence et le jardin d'agrément qui l'entourait. Les palais en bordure du lac Dal s'appelaient aussi « palais d'eau ». Par malheur, rares sont les magnifiques *baghs* subsistant encore aujourd'hui. L'un des plus somptueux et des plus vastes est Nishat Bagh, ou jardin des Délices. Les hautes montagnes forment un cadre grandiose à son jardin clos de murs qui, autrefois, n'avait pas moins de douze terrasses. Alimenté par la même source que Shalimar, il est tout bruissant de fontaines jaillissantes. Les fleurs y poussent à profusion, en particulier les roses et le lilas. Actuellement, chaque dimanche, les touristes sont éblouis lorsque tous les jets d'eau fonctionnent. Cependant le spectacle est loin d'être aussi admirable qu'à l'époque où il était réglé par le premier ministre de Shah Jahan. Alors, les vêtements de la cour rivalisaient d'éclat avec le plumage des paons qui animaient les pelouses et avec les poissons rouges bleuâtres et couleur d'or qui frétillaient dans les pièces d'eau décorées de lotus.

ESPAGNE

L'héritage horticole des Maures s'est implanté dans tous les pays qu'ils ont conquis. Le long des côtes méditerranéennes du Liban, du Maroc, etc., leur art des jardins s'est imposé avec les patios fermés, ombragés de cyprès et d'orangers, rafraîchis par des fontaines et des bassins, et parfumés de jasmin. Aux limites mêmes du désert, les Arabes savaient se ménager d'agréables retraites grâce à une judicieuse irrigation. Les plus célèbres jardins mauresques parvenus jusqu'à nous sont ceux de l'Espagne méridionale, éclatants de couleurs sous le soleil andalou. Plusieurs de ces jardins remontent au XIIIᵉ siècle et ont été soigneusement entretenus.

Les Maures commencèrent à envahir l'Espagne au début du VIIIᵉ siècle, en chassant les Wisigoths, qui avaient succédé aux Romains. Mais, dans le Nord, l'invasion arabe se heurta à une solide résistance. Les armées chrétiennes finirent par les repousser. Cependant l'envahisseur avait eu le temps de jeter les bases de sa propre civilisation. Les Maures se maintinrent en Espagne jusque sous le règne de Ferdinand et d'Isabelle, au XVᵉ siècle. Dans la province de Cordoue, où le premier émirat remonte à 756, avec Abd er-Rahman Iᵉʳ, les Maures introduisirent l'irrigation — que les Espagnols avaient oubliée depuis l'occupation romaine. Vignes et vergers se développèrent dans les plaines de l'Andalousie et le long de la large vallée du Guadalquivir.

Les Maures choisirent des cadres pittoresques pour leurs terrasses, pavillons, arcades et miradors. Architectes et artistes furent mandés de l'empire de l'Est pour tirer des plans, bâtir et décorer non seulement des palais, mais des villes entières et des jardins. Fleurs et arbres furent importés de contrées lointaines.

Cordoue, avec sa magnifique mosquée, devint un centre culturel et fut considérée comme la Mecque de l'Occident. Le jardin de la mosquée, le patio de los Naranjos, ou jardin des Orangers, fut créé en 976 et existe toujours. C'est sans doute le plus ancien jardin d'Europe. A l'origine, des allées d'orangers prolongeaient les colonnades et reliaient directement la mosquée aux jardins. A noter trois fontaines et de majestueux palmiers.

Le plus grand jardin d'Espagne à refléter la tradition mauresque est l'Alcazar de Séville. Commencée en 1350, cent ans après la période d'occupation musulmane, la série de jardins que l'on peut voir aujourd'hui a gardé l'empreinte de l'art mauresque,

69

Planches

35. Peinture du début du XVIIIᵉ siècle. Un shah indien fait une promenade à cheval dans son jardin qui ressemble fort à un jardin persan. Les divisions géométriques aussi bien que les cyprès et les massifs de fleurs pourraient fort bien servir de motifs à un tapis persan. Un grand portail d'entrée aux formes savantes a été pratiqué dans l'un des murs du jardin. A noter que le kiosque et le pavillon central ont des terrasses de plein air. (*Musée des Beaux Arts, Boston.*)

36. L'empereur Baber surveillant la construction du Bagh-I-Vafa, ou jardin de la Félicité, à Kaboul en 1508. Nous savons, par ses Mémoires, qu'il rapportait des plantes et des arbres de ses expéditions militaires. (*Musée Victoria et Albert, Londres.*)

37. L'un des pavillons du jardin de Shalimar, dans le Cachemire. Sa fraîcheur était entretenue par des eaux et des ombrages. (*Mahatta and Company, Srinagar.*)

38. Le jardin à terrasses multiples de Nishat Bagh a pour arrière-plan de hautes montagnes. La disposition symétrique de ses éléments décoratifs est adoucie par la présence d'arbres majestueux. Ses massifs de fleurs forment des tapis aux riantes couleurs. (*Mahatta and Company, Srinagar.*)

39. Le Taj Mahal mire sa beauté dans des plans d'eau tranquilles. Ses jardins dégagent une impression de grandeur. Des massifs de fleurs aux couleurs vives sont le reflet de la précieuse décoration intérieure. (*Government of India Tourist Office.*)

35

36

dans l'ensemble du moins. Par ailleurs l'Alcazar n'offre pas cette caractéristique de l'art oriental, le palais donnant directement dans le jardin. De même les jardins de l'Alcazar n'ont pas l'un de leurs côtés ouvert sur un paysage : quatre murs les enserrent étroitement. Mais il y a plus (faut-il écrire « pis » ?) : une partie de ces jardins ont été transformés de telle sorte qu'ils ressemblent aujourd'hui à un « jardin paysager » anglais du XVIIIe siècle.

Néanmoins les murs d'enceinte, les promenades, les bassins à fontaine et, par-dessus tout, le carrelage multicolore ressuscitent la gloire des anciens jardins musulmans. Les arbres dominants sont les cyprès, les orangers et les citronniers alternant avec les palmiers. On peut également admirer du jasmin, des lauriers-roses, des iris bleus et violets, des roses, des narcisses. Malheureusement, ici aussi, comme dans la plupart des pays du sud de la Méditerranée, le brûlant soleil d'été ne permet pas les longues floraisons. Pour rétablir l'équilibre, les mosaïques multicolores des bassins, des rigoles, des bancs et des escaliers évoquent la couleur des fleurs en toute saison. Les teintes sont vives, mais l'effet obtenu est très subtil, car la gamme des bleus, des jaunes et des verts parle du ciel, du soleil et de frais ombrages.

Trait typique des jardins espagnols : le berceau de verdure, *glorieta* ou « petit paradis », Dérivé des pavillons persans, cet élément décoratif consiste parfois simplement en une arcade couverte de vigne. Dans les jardins mauresques, il apparaît souvent comme un cercle de cyprès taillés de manière à constituer des arches. On trouve généralement celles-ci à la croisée de sentiers. On peut en voir, entre autres, à l'Alcazar de Séville et à l'Alhambra de Grenade. Au temps jadis les grands jardins étaient volontiers divisés en carrés, comme en Perse, avec huit *glorietas* représentant les huit pavillons du paradis de Mahomet.

Séville et Cordoue sont toutes deux situées sur le Guadalquivir, dans un pays relativement plat. Mais Grenade, qui possède deux des plus précieux jardins du monde, se trouve haut perchée sur les contreforts de la sierra Nevada enneigée.

L'Alhambra (mot qui signifie « château rouge ») couronne la ville de sa masse. Donnant sur une petite vallée et brillant comme un joyau dans son écrin s'élèvent un peu plus haut les murs blancs du palais d'été du Généralife. Les deux édifices évoquent l'art mauresque, mais diffèrent cependant, car l'Alhambra est un palais fortifié et le Généralife une villa.

C'est en 1238 que Mohammed ben Alhamar commença à faire du vieux château l'association « forteresse-palais » appelée aujourd'hui Alhambra. Il amena dans cette résidence haut perchée l'eau du Darro, ce qui rendit les lieux plus habitables.

La pente menant à l'Alhambra de Grenade est raide, mais boisée. Il s'y trouvait jadis de nombreux palais privés. Il y a quelques années encore, l'endroit était réputé pour ses ormes splendides, plantés sur ordre du duc de Wellington pendant les guerres napoléoniennes. Aujourd'hui, hélas! les arbres du parc sont mutilés par un élagage excessif. Il est vrai que si on les laissait trop pousser leur masse verdoyante finirait par cacher la vue de la bâtisse.

Toujours à l'Alhambra on peut voir de nos jours encore quatre des jardins primitifs. Leur trait caractéristique est l'eau. La plus vaste de ces cours (car il s'agit plus de cours

40. La cour des Myrtes ou cour du Bassin, d'inspiration mauresque, est un des patios dont s'enorgueillit le jardin du Généralife. Du belvédère situé à l'extrémité la vue découvre la ville de Grenade. *(Rapho-Guillumette.)*

que de jardins) est le patio de los Arrayanes, la cour des Myrtes, que l'on appelle aussi la cour du Bassin. Sa pièce d'eau est en effet bordée de myrtes et d'orangers. A chaque extrémité une loggia aux colonnes d'albâtre se reflète dans le miroir liquide.

A côté le patio de los Leones, ou cour des Lions, est sans doute le plus connu et le plus photographié des patios mauresques. Les douze lions de pierre qui supportent la grande fontaine centrale sont d'une exécution assez sommaire, les Arabes devant éviter, d'après leur religion, de reproduire des créatures vivantes. Jadis cette cour était plantée d'orangers. Mais, actuellement, le manque de verdure et de fleurs est compensé par la vue de rigoles d'eau fraîche et celle d'admirables et frêles colonnettes, d'une architecture élégante et délicate. Ce patio faisait jadis partie du domaine privé du sultan.

C'est plus tard que fut créé le jardin de Lindaraja, réservé aux femmes du harem. Niché entre des murs, au cœur du palais, il est décoré de massifs de fleurs qui entourent une fontaine centrale. On y voit aussi des sentiers bordés de buis taillé et — association coutumière aux Orientaux — des cyprès élancés côtoyant des orangers en fleur. Dans l'ensemble ce jardin rappelle d'ailleurs beaucoup celui d'un cloître chrétien.

Ce troisième patio est directement relié au quatrième, le petit patio de la Reja, ou cour de la Grille. Datant du XVIIe siècle, il possède une fontaine centrale gardée par quatre cyprès. D'un côté, cette cour s'ouvre sur un beau paysage.

Éléments communs à ces quatre jardins-cours : les nombreuses petites salles du palais qui y donnent. Toutes sont exquisement décorées de marbre, d'albâtre et de mosaïques aux lumineux coloris.

Les jardins du Généralife, beaux à couper le souffle, ont été créés petit à petit, au cours de plusieurs générations. Il n'est pas très aisé de séparer les parties d'inspiration mauresque de celles d'inspiration chrétienne. Autrefois, on se rendait de l'Alhambra au Généralife en passant au-dessus d'un petit ravin. Aujourd'hui, c'est en suivant une longue avenue bordée de cyprès. Dans la partie la plus ancienne du bâtiment, on trouve un étroit patio, avec au centre un canal de marbre dont les jets d'eau forment un tunnel aquatique. Cette sorte de tunnel est assez fréquente dans les jardins espagnols, y compris ceux de Majorque. Ce caprice a été imité par les autres pays pendant la Renaissance et au XVIIIe siècle. Des massifs floraux bordent le canal de la cour principale du Généralife. A une extrémité, un pavillon surélevé permet d'admirer un merveilleux et grandiose paysage. Il est recommandé de monter à ce belvédère en fin d'après-midi, un jour de printemps, alors que la lumière est douce et le ciel empli de nuages. On aperçoit alors la vaste plaine au-dessous, toute verte de récoltes à peine sorties de terre. Les vergers sont en fleurs et les montagnes, au loin, apparaissent presque bleues.

Depuis l'époque mauresque, les jardins du Généralife se sont étendus pour former des pièces de verdure et des corridors de cyprès. Tous, ou presque, aboutissent à une vue qui inclut l'Alhambra. Des fleurs et des plantes nouvelles ont été importées pour embellir encore le cadre (glycine de Chine, bougainvillées du Brésil, lis et géraniums d'Afrique du Sud). Ces importations datent de l'époque des grandes explorations du XIXe siècle.

Les jardins typiquement mauresques du Généralife contiennent des cyprès, des orangers, des lauriers-roses, des roses, des œillets, du jasmin, et sont agrémentés de jeux d'eau. Dans la cour de la Sultane on peut admirer un grand bassin avec cascade en miniature.

En règle générale, les maisons d'Andalousie construites autour d'un patio offrent un charme particulier. Le patio espagnol dérive de l'atrium romain, ainsi que du cloître chrétien et du jardin clos persan. On y trouve un bassin central, un sol carrelé et de nombreuses plantes en pot aux riches coloris.

Dans les vieux quartiers de Séville et de Cordoue, où d'innombrables ruelles sinueuses sont bordées de maisons à deux étages, les balcons se fleurissent volontiers de géraniums, et des patios carrelés se cachent — ou se montrent à moitié — derrière les grilles d'entrée en fer forgé.

Beaucoup de ces patios, aux murs en arcades, sont meublés. Chacun a sa pièce d'eau, ses plantes en pot, sa vigne et ses petits arbres (acacias, orangers, palmiers, glycine, rosiers). Après une flânerie à travers les rues d'Andalousie, on revient les yeux encore éblouis par les façades blanches. On conserve le souvenir d'hommes et de femmes vêtus de noir, mais aussi celui du décor pittoresque où ils vivent : contraste d'habits sévères et sombres avec la gaieté des balcons fleuris et des patios éclatants de couleurs.

Promenade dans un jardin. Miniature indienne du XVIIIe siècle. L'eau jaillissante et l'ombre des arbres, les fleurs et les oiseaux, le *chahutra,* le quadrillage habituel composent ce jardin. Musée Guimet, Paris. *(Photo Snark international.)*

Planches

41. Patio de los Arrayanes, à l'Alhambra, à Grenade. Son grand bassin, d'un beau vert sombre, entouré de haies de myrte, offre un spectacle reposant et agréable à l'œil. (Torres Molina, Grenade.)

42. Patio de los Leones. Il faisait autrefois partie des appartements privés du sultan, à l'Alhambra. De sa verdoyante décoration primitive il ne reste plus guère aujourd'hui que quelques orangers. (Spanish National Tourist Department.)

43. Jardins de l'Alcazar, à Séville. Des bancs de mosaïque encerclent une petite cour dont le bassin central rappelle ceux des miniatures persanes. Les allées ombreuses protègent le promeneur des rayons brûlants du soleil. (Spanish National Tourist Department.)

44. Patio de los Naranjos, à la grande mosquée de Cordoue. Impressionnante simplicité des éléments fondamentaux (l'eau, la pierre, le soleil et l'ombre) combinés à la verdure des orangers et des palmiers. De l'ensemble se dégage une sorte de paix solennelle qui incite au recueillement. (A. Campana, Barcelone.)

45. L'Alhambra et les jardins du monastère de San Francisco vus d'un belvédère du Généralife, l'ancien palais des rois maures. (Photo de l'auteur.)

46. Une portion des nouveaux jardins du Généralife, entre deux haies de cyprès taillés. Les larges plates-bandes, tout le long de l'étroite pièce d'eau, sont bordées de rosiers. On aperçoit le palais d'été à l'extrémité, au-delà des cyprès. (Spanish National Tourist Department.)

47. Une partie des jardins longeant les remparts de l'Alhambra. Du haut de ce balcon naturel, le paysage est admirable. (Spanish National Tourist Department.)

48. De nombreux petits jets d'eau rident la surface des bassins où se mirent les lauriers-roses du patio de la Sultane, au Généralife. (Torres Molina, Grenade.)

49. Du petit patio de la Reja, dans les appartements privés de l'Alhambra, on a une vue admirable de la campagne environnante. Un vieux cyprès monte la garde à chaque coin de la cour. (Eduardo Mulá, Barcelone.)

50. Le parc Maria Luisa, à Séville. C'est là une création du XXe siècle, mais les plans d'eau, les mosaïques et une bonne partie de la décoration florale sont d'inspiration mauresque. Les Espagnols cultivent volontiers les plantes en pot qu'ils peuvent ainsi, le cas échéant, préserver des ardeurs du soleil. (Spanish National Tourist Department.)

51. Patio typique d'une demeure privée, à Séville. La cour-jardin fait office de hall d'entrée. (Serrano, Séville.)

52. Dans la cour d'entrée du Généralife, grappes de glycine et de roses décorent les murs. (Photo de l'auteur.)

53. Les bassins d'un jardin moderne situé à l'intérieur de l'Alhambra reflètent le Partal, bâtisse connue sous le nom de tour des Dames. (Rapho-Guillumette.)

45

46

43

44

47

48

Quant drune se fut
Quitte de lacte deffz
Qit et elle sor repre

de sa follie sicte il saint en
son lime il lessa la forest
ou drune conuerse e trait.

VI *Monastères et Châteaux*

Des problèmes administratifs complexes et l'affrontement de deux idéologies aussi différentes que celles de l'Est grec et de l'Ouest romain avaient provoqué la division de l'Empire romain. Aussi, dès le début du IVe siècle, Constantin décréta-t-il que Constantinople — l'ancienne Byzance — deviendrait seconde capitale.

En l'an 410 Rome fut pillée. Les légions, rappelées de Bretagne, laissèrent ce pays sans défense. La Gaule et l'Espagne furent envahies. L'ennemi ravagea les régions conquises et, sous Attila, les Huns dévastèrent l'empire d'Orient comme celui d'Occident.

Rome subit un second pillage, en 455, de la part des Vandales, venus par mer. Le dernier empereur d'Occident fut déposé en 476. L'anéantissement du puissant Empire de jadis était chose faite.

Pendant la période chaotique du haut Moyen Age, l'Église chrétienne tint bon et apporta l'espérance aux hommes. Des monastères se bâtirent au cours du IVe siècle et devinrent de précieuses mines d'enseignement : c'est là en effet que l'on recopiait les vieux manuscrits et que l'on conservait les documents relatifs aux connaissances de l'homme. Les monastères devant subvenir à leurs besoins, l'agriculture et l'horticulture prirent de l'importance. Les moines s'inquiétèrent de préserver non seulement leur foi, mais aussi la science des plantes et des herbes.

54. Peinte pour François Ier cette enluminure d'un manuscrit, sorte de « jeu galant des échecs », laisse apercevoir une profusion de fleurs à l'intérieur d'un jardin clos. Sur cette peinture allégorique on voit un maître conduisant son élève au verger ou jardin de la Nature. La Nature elle-même en détient la clé. Passé le seuil du jardin, on doit choisir entre différents modes de vie et donner sa préférence soit à Vénus, déesse de l'Amour, soit à Pallas, déesse de la Sagesse, soit enfin à Junon, reine des Dieux, qui personnifie la conduite vertueuse. *(Paris, Bibliothèque nationale.)*

Plantes médicinales, plantes potagères, vignes et arbres fruitiers étaient cultivés dans et hors les murs. On faisait également pousser des fleurs pour décorer les chapelles. Les laïques, chose curieuse, considéraient les fleurs dans une église comme un rite païen évocateur des orgies de la Rome antique. Les prêtres, au contraire, associaient les fleurs à la vierge Marie et à son fils. Le lis *(Lilium candidum)* était l'emblème de la pureté de la Vierge. La rose, reine des fleurs, devint l'attribut de la reine du ciel. Les roses rouges, par ailleurs, symbolisèrent le sang du Christ.

Chaque monastère possédait un terrain quadrangulaire, dérivé du péristyle romain classique et généralement situé du côté sud de l'église. Là, les moines pouvaient se promener en paix tout en bénéficiant du grand air et du soleil. L'enclos du cloître, généralement carré, était divisé en quatre par des allées. Au centre se trouvait un puits, une fontaine ou une citerne servant à recevoir l'eau destinée à arroser les plantes, à la boisson, à la toilette. Parfois aussi on y trouvait une « piscine », réserve de poissons pour le vendredi et les jours de carême. Quelques plantes et des arbres fruitiers de petite taille embellissaient le cloître, dont la plus grande surface était consacrée à la culture des légumes et des herbes potagères.

Un plan idéal de cloître est conservé dans la bibliothèque du monastère bénédictin de Saint-Gall, en Suisse. Le jardin potager est divisé en dix-huit parcelles. Le verger faisait en même temps office de cimetière. Tout près de l'infirmerie, on cultivait les herbes médicinales. Clairement étiquetées, on y découvre « *Lilium* », « *Rosa* » et « *Gladiola* ». Cette dernière fleur a été identifiée comme l'*Iris germanica*. En effet le glaïeul *(gladiolus)* d'Afrique du Sud n'était pas connu à l'époque, et celui des régions méditerranéennes ne possède aucune vertu curative. L'*Iris florentina* est l'iris que l'on trouve couramment parmi les herbes médicinales d'autrefois. Les moines mélangeaient de l'alun aux pétales violets, ce qui donnait une mixture d'un beau vert dont ils se servaient pour enluminer leurs manuscrits.

Les plantes mentionnées sur le plan de Saint-Gall seraient, paraît-il, tirées de la liste de celles que, d'après Charlemagne, il était essentiel d'avoir dans son jardin. Il semble que l'empereur se soit énormément intéressé à l'horticulture. Sa liste comprenait plus de soixante plantes utiles ou ornementales, entre autres le *Lilium candidum,* la *Rosa gallica* et le pavot ou *Papaver somniferum.* Parmi les arbres fruitiers il faut citer l'amandier, le pommier, le cerisier, le noyer, le figuier, le noisetier, le pêcher, le poirier, etc. Cette liste doit avoir été copiée et recopiée, passant de monastère en monastère et de château en château.

Il n'existe aucun tableau, aucun rapport écrit, rien en somme pour nous donner une idée de ce qu'était un jardin de château au début du Moyen Age. Troubadours et ménestrels ne commencèrent à se manifester qu'au XIIe siècle, et c'est seulement aux XIVe et XVe siècles que les enluminures des manuscrits nous donnent un aperçu de ce que pouvait être cette sorte de jardin.

De ces peintures il ressort que la châtelaine entretenait un enclos à l'abri du piétinement des chevaux et des ébats des chiens. Elle y faisait venir principalement des plantes médicinales, car elle se devait de soulager autour d'elle les souffrants : les malades, les blessés, les femmes en couches et les bébés affligés des maladies de leur âge. D'autres herbes servaient à chasser la vermine, d'autres encore à accommoder les venaisons. Certaines entraient dans la composition de breuvages empoisonnés et de philtres d'amour. La science des herbes ne fit que lentement des progrès. Elle débuta avec l'ouvrage de Dioscoride, *De materia medica* (Sur la matière médicale), se continua avec les herbiers manuscrits et finit par être imprimée noir sur blanc dans des livres.

Une réception au jardin. Tapisserie de Bruxelles (début du XVIe siècle). On y voit tous les jeux auxquels on pouvait se livrer dans un jardin. *(Metropolitan Museum of Art.)*

Un jardin rempli de plantes utiles était une oasis de paix au sein du petit monde agité et surpeuplé des châteaux d'autrefois. C'était un endroit où l'on pouvait au moins respirer des odeurs infiniment plus agréables que celles des animaux et des humains mal lavés. Après le XIIe siècle, quand l'ouest de l'Europe en eut fini avec les invasions des Barbares, la campagne devint plus sûre, et la vie quotidienne put déborder plus

93

largement hors des murs des châteaux et des manoirs. Le petit jardin se transforma alors en un enclos plus vaste, où l'on pouvait profiter des plaisirs de la vie champêtre après les rigueurs de l'hiver. Les enluminures et les tapisseries de l'époque montrent bien cette joie qu'avaient les gens à s'évader de leurs intérieurs trop souvent humides et nauséabonds.

Une des miniatures du livre d'heures du duc de Berry (début du xve siècle) représente un jardin de château aménagé dans un coin de l'enceinte et judicieusement exposé. Une treille forme un tunnel de verdure dans lequel il devait faire bon se promener. On aperçoit aussi des arbres fruitiers en fleur et une pelouse épaisse. C'était là, on n'en peut douter, un véritable jardin d'agrément, bien que certains coins servissent encore à des fins utilitaires.

La période du haut Moyen Age, les xII^e, xIII^e et xIV^e siècles virent naître et se développer la chevalerie. On se mit à célébrer l'amour par des poèmes ou des chansons. Les cours d'amour connurent une grande vogue. Les nobles dames, comme Éléonore d'Aquitaine, tranchaient toutes les questions touchant à l'amour qu'on voulait bien leur poser. Et où aurait-on été mieux que dans un beau jardin pour discuter de telles choses ?

Les jardins devinrent des lieux clos, nettement séparés de l'habitation principale. La noblesse ne s'y rassemblait pas, d'ailleurs, uniquement pour y tenir des débats sur l'amour. On s'y réunissait également pour festoyer en plein air, pour écouter des récits, pour faire de la musique, pour danser ou même pour jouer à des jeux paisibles comme les cartes ou les échecs. Il n'était pas rare que de tels jardins continssent un petit bassin où l'on pouvait se baigner.

L'horticulture fit d'énormes progrès en Europe à l'époque des Croisades. Dans les jardins orientaux, les chevaliers découvrirent la beauté des couleurs et le repos de l'esprit. Leurs yeux contemplèrent, émerveillés, de nouvelles fleurs et des arbres inconnus. Ils importèrent donc chez eux certaines variétés de roses odorantes, des œillets rouges, du jasmin et aussi des grenadiers, des citronniers, des orangers à oranges amères, ainsi que le magnifique cèdre du Liban, inconnu dans le nord de l'Europe jusqu'à ce jour.

Pour se faire une idée de ce type médiéval de jardin d'agrément — ou préau — il faut regarder par-dessus les murs des manoirs fortifiés de France et des Flandres avec l'œil des miniaturistes de l'époque... Leurs enluminures aux brillantes couleurs ont su rendre la beauté et la sérénité de ces enclos relativement petits. Sur ces images on voit des banquettes de gazon disposées le long des murs crénelés, et qui invitaient au repos. Ces sièges avaient souvent une assise de pierre. Le gazon qui les recouvrait provenait des prés alentour. Cette pelouse, que l'on transplantait, était également bien commode pour faire venir quantité de fleurs sauvages. On reconstituait ainsi dans le jardin des « prairies en fleurs » où l'on trouvait des pâquerettes *(Bellis perennis)*, des ancolies, des campanules *(Campanulas)*, des crocus violets *(Crocus vernus)*, du muguet, des primevères, des violettes, des œillets, des perce-neige et des pensées *(Viola tricolor)*, toutes fleurs sauvages d'Europe. L'antique *Rosa canina*, le lis, la pivoine et l'iris étaient déjà cultivés dans les « jardins à herbes ». Les œillets rouges, souvent mis en pot, devinrent l'une des fleurs préférées de l'époque. Puis les roses trémières firent leur apparition, rapportées de la Turquie de l'Est et de la Perse.

94

Dans ces jardins d'agrément, les petites fleurs poussant dans les gazons étaient bien souvent piétinées. Des fleurs plus grandes croissaient sur les banquettes de mousse; les gens finirent par renoncer à s'asseoir dessus, préférant utiliser le siège comme simple appui dorsal. Une charmante peinture du xve siècle nous montre un banc utilisé de cette façon. Parfois aussi les arbres étaient entourés d'un siège circulaire couvert de mousse.

Il n'était pas rare, en ce temps-là, qu'une partie du jardin, couverte de gazon, fût réservée au délassement, aux jeux et à la danse, tandis qu'une autre était réservée aux plates-bandes et aux massifs de fleurs, généralement bordés de briques, de pierres ou de planches. Cette partie du jardin était en général protégée par une barrière de bois à croisillons contre les incursions des chiens. Bordures et barrières étaient souvent peintes aux couleurs héraldiques de leur propriétaire.

L'eau, élément essentiel de l'horticulture, se rencontrait dans ces jardins sous forme de puits et de fontaines : fantaisies gothiques, grands bassins de marbre ou encore simples auges de pierre. Certains bassins, aussi, étaient utilisés pour la baignade. Hommes et femmes se baignaient ensemble, la vie en commun étant de règle à cette époque, où, pour des raisons de sécurité, on vivait entassés les uns sur les autres.

Un élément décoratif que l'on trouve presque toujours dans ce genre de jardin moyenâgeux est la table de marbre sur piédestal. On jouait dessus, principalement aux échecs. Les joueurs restaient debout, les sièges faisant défaut. Ce n'est que très occasionnellement qu'une peinture de l'époque nous révèle l'existence de petits escabeaux de bois.

Dans ces jardins médiévaux poussaient de petits arbres fruitiers — pommiers, poiriers, orangers, citronniers — et des arbres à feuilles persistantes (taillés la plupart du temps). L'if et le buis, convenablement cultivés, firent parfois de magnifiques pavillons de verdure où l'on pouvait dîner à plusieurs. Dans les Flandres, des arbres plus grands servirent également de « tonnelles à repas ». Nous pouvons en admirer sur les tableaux de Pierre Breughel. Cependant l'art de tailler les arbres pour leur donner une forme particulière, si développé dans la Rome antique, ne retrouva pas ses excès passés. On ne mutila plus les arbres pour leur imposer la forme de gens ou d'animaux.

Au xve siècle, ce fut, dans les jardins, la vogue des éminences couvertes de mousse, souvent couronnées d'un petit pavillon, du haut desquelles on pouvait admirer le paysage environnant. Il en existait quatre dans les jardins du Louvre.

Autre distraction pour les promeneurs d'un jardin de cette époque : le labyrinthe. Formé de haies bien taillées, on le trouve primitivement dans... les églises. Pendant les Croisades, époque de grande ferveur religieuse, le dessin d'un labyrinthe était tracé sur le sol dans certaines cathédrales, comme celle de Chartres par exemple. A genoux sur ce dessin, les pénitents se déplaçaient lentement, récitant des prières à chaque « station ».

Les mots « labyrinthe » et « dédale » prêtent à confusion (c'est le cas de le dire!) car on les emploie volontiers l'un pour l'autre. Or certains spécialistes affirment que le véritable labyrinthe est dépourvu des impasses qu'offre un dédale. L'un d'eux précise même que le labyrinthe est haut et le dédale bas. Que les amateurs de synonymes s'y retrouvent !

Certaines enluminures représentant des jardins servent à illustrer une histoire religieuse. Les jardins deviennent alors symboliques, comme celui imaginé par un peintre rhénan inconnu du xve siècle. Marie, la reine des cieux, est assise sur un coussin. Son fils joue sur le sol auprès d'elle. Son royal lignage (elle était de la race de David) est rappelé par l'iris. Sa pureté est marquée par les lis blancs. Les roses rouges symbolisent l'amour divin. On voit aussi un cerisier à gauche. Or les cerises signifient « joies célestes ».

Des fraises, symbole de droiture, avec leurs feuilles trilobées évoquant la Trinité, poussent près de saint Michel et de saint Georges. Sur la table on aperçoit des pommes, évocatrices de la chute de l'homme et de sa rédemption par le Christ. Le muguet, au premier plan, rappelle la douceur et la pureté de la Vierge. Les chardonnerets perchés sur le mur sont associés à la Passion du Christ : ils portent des marques rouges et picorent les graines d'un chardon.

Deux auteurs de la fin du Moyen Age nous aident également à nous faire une idée de ce qu'étaient les jardins à cette époque : Pierre Crescensi et Boccace.

Crescensi écrivit son *Opus ruralium commodorum* à la fin du xiiie siècle. Mais son manuscrit latin ne fut traduit en italien, français et allemand qu'au xve siècle, et il fut magnifiquement enluminé par les artistes du temps. Crescensi traite de l'agriculture en s'appuyant sur la science des Anciens et en particulier sur Columelle. Mais la description qu'il nous fait du jardin médiéval idéal lui est strictement personnelle. Il propose trois sortes de jardins : pour les gens d'humble origine, pour les classes moyennes et pour les nobles et les rois. D'après lui tous ces jardins devraient se situer en terrain plat, être de forme carrée et divisés en sections réservées aux herbes odorantes aussi bien qu'aux fleurs. Il recommande aussi d'écarter les plantes vénéneuses, d'éviter les arbres à racines trop importantes et de faire la chasse aux mauvaises herbes. Il préconise l'emploi de gazon, pris dans les prés, pour garnir les espaces entre deux massifs de fleurs et recouvrir les bancs rustiques. Il conseille également de planter quelques arbres chargés de dispenser de l'ombre « mais pas trop » et surtout pas trop près les uns des autres afin que les araignées ne puissent tisser leur toile entre (!). Il est d'avis que les jardins soient ouverts au nord et à l'est, mais, au contraire, protégés au sud et à l'ouest contre les mauvais vents. Il voit très bien une fontaine au milieu du jardin et une pergola pour protéger des ardeurs du soleil (il ne faut pas oublier que Crescensi était italien !).

Crescensi imaginait le jardin du seigneur avec toutes les commodités décrites ci-dessus, mais sur une plus vaste échelle : hauts murs, magnifiques pergolas, allées bordées d'orangers, de citronniers, de grenadiers. Il conçoit également une réserve de chasse... et aussi, près du château, une volière pleine de rossignols, de corbeaux, de chardonnerets, de linottes, de perdrix et de faisans.

Dans son *Décaméron* (dont la première édition date de 1471) Boccace nous décrit à peu près les mêmes choses que Crescensi : murs, fontaines, allées couvertes, pergolas, gazon fleuri et réserves de gibier et d'oiseaux. Néanmoins sa description est infiniment plus poétique. Il nous parle en outre de la manière dont dix jeunes gens passaient leur temps dans ce cadre enchanteur. Son histoire se rapporte à sept jeunes femmes et à trois jeunes hommes qui, fuyant la peste qui ravagea Florence en 1348, se réfugièrent dans une villa sur les hauteurs de Fiesole (sans doute la villa Palmieri).

Dans les jardins d'agrément médiévaux poussaient des fleurs, des arbustes, des arbres fruitiers ou à feuilles persistantes. Cette xylographie est tirée du Livre de la Nature de Nüremberg. *(Photo Snark international.)*

« Au centre et tout autour de ce jardin, écrit Boccace, couraient de larges allées droites et couvertes de treilles en berceaux. Ces allées étaient embaumées de l'odeur des roses et du jasmin. Ces remparts odorants, dispensateurs d'une ombre fraîche, protégeaient des ardeurs du soleil. »

Il nous parle encore d'un cercle verdoyant d'orangers et de citronniers, d'une pelouse à l'herbe si épaisse qu'elle en paraissait noire, d'un jet d'eau si puissant qu'il semblait toucher le ciel, d'une fontaine d'une merveilleuse transparence et d'innombrables canaux qui répartissaient l'eau à travers tout l'enclos.

« Les dames et les trois jeunes gens, flânant agréablement de côté et d'autre... entendaient partout quantité d'oiseaux chanter à l'envi... Le jardin était peuplé de plus de cent espèces de bêtes : lapins, lièvres, chevreuils et daims paisibles. »

Le jardin de Boccace était essentiellement médiéval, mais, comme lui-même touchait de près à la Renaissance, il forme une espèce de lien vivant entre le Moyen Age et l'époque révolutionnaire qui suivit.

La Renaissance, période de bouleversements profonds, ne marqua pas seulement la vie politique, économique et sociale. Elle transforma le domaine des arts et, entre autres, l'horticulture.

97

Planches

55. Jardin du cloître de Saint-Michel-de-Cuxa. Une simple fontaine, des bordures d'iris, des pommiers et de l'herbe tendre suffisent à composer une atmosphère de beauté et de sérénité. *(Metropolitan Museum of Art, Cloisters Collection.)*

56. Cloître du couvent des Quattro Santi Coronati, à Rome (XIIᵉ siècle). La fontaine s'élève au centre d'un petit bassin carré. *(E. Richter, Rome.)*

57. Un « jardin du Paradis », par un peintre rhénan inconnu du XVᵉ siècle. Il renferme les éléments d'un jardin médiéval typique, doublés de symboles chrétiens. *(Städelsches Kunsinstitut, Francfort.)*

58. Un mur bas, en pierre, recouvert d'un gazon naturel, forme un siège à la Vierge et à sainte Anne dans cette scène de jardin peinte par un artiste flamand du XVᵉ siècle. Sur la pelouse émaillée de fleurs qui couvre le sol on note des symboles chrétiens : les pâquerettes de l'innocence (l'enfant Jésus en tient une à la main), des pissenlits (qui évoquent l'amertume de la douleur et de la Passion) et du plantain. Celui-ci, connu pour pousser au bord des routes, est le symbole du sentier suivi par ceux qui cherchent le chemin menant à Dieu. *(Bulloz, Paris.)*

59. On voit une banquette de gazon le long du mur du jardin sur cette charmante peinture représentant la Vierge et l'Enfant, Marie-Madeleine et une servante. Le jardin est simplement formé de parterres de fleurs entourés d'une bordure de briques. Peint par un artiste inconnu du XVᵉ siècle. *(Musée diocésain, Liège.)*

60. A l'intérieur des murs du château, un jardin compartimenté est entouré d'une barrière à croisillons. Une série d'arceaux supportant une vigne l'agrémentent. On remarque dans l'enclos plusieurs arbres fruitiers. Enluminure représentant Suzanne et les vieillards, XVᵉ siècle. *(Museum of Art, Philadelphie.)*

61. Reconstitution d'un jardin de cloître de l'époque médiévale, à New York. On aperçoit des lis, des pivoines, des roses, des œillets et un certain nombre de plantes potagères et médicinales dans des carrés à bordure de briques. *(Metropolitan Museum of Art, Cloisters Collection.)*

62. Jardinage. Page d'un manuscrit flamand de 1460. Traduction du *Livre des profits ruraux* de Pierre de Crescensi. *(Bibliothèque Pierpont Morgan, New York.)*

63. Dans cette cour de château étrangement déserte, une jeune personne de l'époque moyenâgeuse feuillette un livre, adossée à un mur bas couvert de gazon. *(Bibliothèque Pierpont Morgan, New York.)*

64. *Le Concert.* Tapisserie française, début du XVIᵉ siècle. Un groupe de personnages réunis autour d'une fontaine au milieu d'une pelouse émaillée de fleurs s'adonne aux joies de la musique. *(Musée des Gobelins, Paris.)*

65. Entre les murs intérieurs et extérieurs de ce château voici un petit jardin d'agrément servant de cadre à deux amoureux. Un pot d'œillets, un arbre à feuillage persistant bien taillé et une fontaine gothique constituent les principaux éléments du décor. Manuscrit français du XVᵉ siècle peint par Renaud de Montauban. *(Bibliothèque nationale, Paris.)*

66. A l'intérieur de cet enclos, des hommes et des femmes se baignent ensemble dans une fontaine de jouvence. D'autres personnages boivent ou font de la musique. Enluminure italienne du XVᵉ siècle tirée du *De sphaera.* (Collections de la Bibliotheca Extense, Modène.) *(Umberto Orlandini.)*

67. Une des enluminures du *Roman de la Rose.* On y voit un grand jardin divisé en deux par une clôture à croisillons. Le jardin de droite est lui-même divisé en carrés. Celui de gauche, avec une fontaine au centre, comporte une pelouse réservée à la danse, à la promenade, aux concerts champêtres. *(British Museum.)*

68. Entourée de serviteurs des deux sexes, une noble dame se baigne dans un bassin de plein air. Ces sortes de baignoires de jardin étaient assez utilisées au Moyen Age. Tapisserie française du début du XVIᵉ siècle faisant partie d'une série dépeignant la vie de la noblesse. *(Musée de Cluny, Paris.)*

69. Le jardin d'un château français au XVᵉ siècle. Aménagé à l'abri de murs protecteurs, il jouit d'un maximum d'ensoleillement. Illustration du mois d'avril tirée du livre d'heures les *Très Riches heures,* enluminé au XVᵉ siècle pour le duc de Berry par Pol de Limbourg. *(Giraudon.)*

56
57
58

59

61

60

62

63

64

68

70. Le lac Majeur vu des jardins d'Isola Bella.
(*Photo de l'auteur.*)

VII

La Renaissance Italienne

Il semble, à première vue, que la Renaissance corresponde à une période précise de l'histoire : elle marque le plein épanouissement des arts, la réalisation d'énormes progrès scientifiques, l'expansion du commerce, bref une somme fabuleuse de bienfaits venant éclairer un monde longtemps obscurci par la guerre, l'ignorance et la superstition.

Cependant, à y regarder de près, il est impossible de dire avec exactitude à quelle date la Renaissance a commencé et à quelle date elle a pris fin. On ne peut guère la comparer qu'à une fleur, d'abord à peine ouverte et puis se développant avec rapidité pour triompher enfin dans toute sa beauté avant de se faner.

Après des siècles d'une existence misérable toute dominée par la peur à la suite de la chute de Rome — peur du seigneur et maître, peur de la guerre, de la peste, de la faim et de la mort — l'homme du Moyen Age finit par secouer ses chaînes et prit conscience de ses capacités en tant qu'individu. Et c'est cela le véritable sens de la Renaissance : la renaissance de l'être humain.

Pendant toute la durée du Moyen Age l'homme ne s'était jamais tourné que vers Dieu. Maintenant il commençait à s'intéresser à son propre personnage et aussi à porter ses regards sur le monde extérieur. Éveillée, sa curiosité ne connut plus de bornes. La Renaissance avait d'ailleurs eu des précurseurs au XIVe siècle et au début du XVe siècle : écrivains tels que Dante, Pétrarque et Boccace; artistes comme Giotto et Donatello; architectes comme Brunelleschi. Les artistes atteignaient à un grand réalisme en peignant l'homme. Les écrivains aidaient l'italien à devenir une langue homogène et parlée dans tout le pays. Le commerce s'intensifia. Des villes se développèrent. Les arts atteignirent bientôt leur apogée. Les gens se mirent à redécouvrir le passé. Les classiques furent à l'honneur. Les humanistes dénichèrent et étudièrent d'anciens manuscrits (conservés par les moines) et s'extasièrent devant les statues de l'ancien temps. Il ne fut pas jusque aux lois de Justinien que l'on n'examinât de près pour les utiliser dans la vie courante.

Géographiquement l'Italie se trouvait située depuis toujours au carrefour du monde. Le commerce était sa vraie raison d'être. Aussi la vie urbaine plutôt que le système féodal avait-elle été adoptée. Avec les Croisades la vie des gens avait profondément changé : des forces intellectuelles et sociales, enfin débridées, se ruaient à travers l'Europe entière. Idées et connaissances scientifiques nouvelles élargissaient l'horizon, sans parler du bénéfice des voyages. En effet, des marchandises arrivaient de pays lointains, d'Orient en particulier, et les conditions économiques en étaient changées. Bientôt la classe des marchands devint toute puissante. Le commerce et les guerres incessantes exigeaient des supports financiers : ceux-ci étaient fournis par de riches prêteurs, des banquiers-marchands. Ceux de Venise furent bientôt célèbres dans le monde entier. Plus tard, à Florence, les Médicis devinrent également illustres, d'abord comme marchands de laine, ensuite comme banquiers.

Au XVe siècle, les esprits avaient si bien évolué que la hiérarchie des castes s'en trouva bouleversée. Désormais on considérait avec respect ceux dont la personnalité s'appuyait sur le talent. L' « homme universel » devint à la mode. C'est-à-dire que plus un homme avait de talents multiples, plus il était apprécié et tenu en haute estime.

Gravures sur bois (édition de 1499 de l'*Hypnerotomachia* de Poliphilus). A GAUCHE : plan soigneusement dessiné d'un parterre de fleurs. Ce parterre devait être entouré de gazon et composé de plantes à fleurs naines ou à port bas. A DROITE : pergola à piliers de marbre autour desquels s'enroule de la vigne, telle que l'architecte florentin Alberti la concevait pour chaque jardin.

On peut citer comme exemple de cet *uomo universale* Laurent de Médicis, qui n'était pas seulement un habile financier et un fin politicien, mais aussi un lettré, un collectionneur, un musicien, un poète et... un mécène. Des artistes comme Alberti et Vasari étaient tout à la fois écrivains, peintres, musiciens, architectes, dessinateurs de jardins et sculpteurs. Il était même courant que les architectes dessinassent le plan des jardins attenants aux palais et aux villas qu'ils étaient chargés de construire. Certains créèrent de magnifiques sculptures pour jardin. Raphaël était aussi célèbre pour ses remarquables peintures que pour ses œuvres architecturales. C'est lui qui dessina le jardin de la villa Madama, à Rome, faite pour le pape Clément VII.

En tant qu' « homme universel », on peut dire que Léon-Baptiste Alberti (1404-1472) fut un précurseur. Contemporain du premier grand Médicis, Cosme l'Ancien (1389-1464), que l'on connaît aussi sous le nom de « père de la patrie », Alberti, dans son *De architectura,* avance des conceptions révolutionnaires. Ses projets de jardins et de villas sont vraiment ceux d'un homme de la Renaissance. D'après ses théories, il fallait revenir au classicisme. Comme les Anciens, il conseillait de choisir, pour y créer des jardins et y construire de belles résidences, « des sites ayant vue sur des villes, la campagne, la mer ou les pics neigeux des montagnes ». Il préconisait des galeries ouvertes pour jouir du soleil aussi bien que de l'ombre, et des grottes fraîches. Il conseillait aussi des bouquets d'arbres fruitiers, des cyprès enlacés de lierre, des pergolas à colonnes de marbre couvertes de vigne, des allées bordées de buis taillés, des vases de pierre, des fontaines et des statues « non indécentes ». Ainsi imaginait-il un jardin idéal.

Parmi ses plans restés célèbres, Alberti dessina ceux de *giardini segreti* ou jardins privés, généralement composés d'une petite pelouse, de massifs de fleurs et d'arbres à feuilles persistantes taillés.

Bref, le passé redevenait d'actualité. Un roman allégorique de Francesco Colonna, un moine dominicain qui s'appelait lui-même Poliphilus, fut publié à cette époque (vers 1467). Il nous révèle à quel point l'horticulture était à l'honneur au XVe siècle. Dans son *Hypnerotomachia* l'auteur expose ses théories personnelles sur le jardinage et l'architecture. Des gravures donnèrent une grande importance à la dernière édition de 1499, car elles nous montrent un jardin aux caractéristiques tant médiévales que Renaissance, établissant ainsi un lien indiscutable entre les deux époques.

Ce jardin imaginaire comprenait une série de plantations concentriques que les personnages principaux du roman devaient traverser avant d'atteindre une île centrale. On y voit des pelouses « émaillées de fleurs », selon l'expression consacrée, des bassins de marbre et des barrières à croisillons de type médiéval. Au nombre des éléments contemporains il faut citer une colonnade classique, des cabinets taillés dans des arbres verts, des statues antiques, un amphithéâtre en ruine (aux gradins plantés de fleurs) et plusieurs parterres compliqués. Les Italiens raffolaient d'un grand nombre de fleurs — roses, violettes, iris, lavande, jacinthes, primevères, glaïeuls sauvages, myosotis, pensées — y compris certaines « importations » dues aux Croisades — roses trémières, œillets, narcisses, cyclamens et jasmin.

Du reste, tous ceux qui avaient l'occasion de voyager au Moyen-Orient rapportaient volontiers de leurs courses lointaines des bulbes et des plantes inconnus chez eux.

Le jardin imaginaire de Poliphilus est intéressant en ce sens qu'il annonçait les jardins de la Renaissance italienne. Mais ceux créés par les Médicis et leurs contemporains excitent bien davantage notre imagination. Ne sont-ils pas liés à des personnages réels et à des tranches d'histoire ?

En fait, l'art horticole de la Renaissance commence à Florence et atteint son apogée à Rome. Son histoire est liée à celles de la famille des Médicis et des princes de l'Église.

Les collines qui s'arrondissent doucement sur les rives de l'Arno devinrent de bonne heure un site de prédilection pour les riches familles florentines, qui y firent construire leurs résidences d'été. Dorées par le soleil toscan, entourées de vignobles et de vergers, ces villas étaient comme des havres de repos à côté de la bruyante ville de Florence, toute bouillonnante de violence et de passions.

Le premier des Médicis, Cosme l'Ancien, posséda au cours de sa vie un grand nombre de villas et également un impressionnant palais au cœur de la cité. Sa résidence préférée, restée célèbre, se trouvait à Careggi, hors des limites de la ville. Située au pied des collines, elle offrait une vue incomparable sur la plaine. La bâtisse originale, sorte de château fortifié, fut acquise en 1417 et remodelée par l'architecte Michelozzo en un « riche et somptueux bâtiment », si nous en croyons Vasari. Encastrée dans ses murs, une double loggia faisait communiquer la maison et le jardin. Cet agencement était considéré comme nécessaire pour dispenser de l'ombre en été et protéger du vent froid en hiver.

Cosme réunissait volontiers dans sa propriété un cercle de brillantes personnalités, qui trouvaient le jardin fort commode pour y discuter philosophie et lire les œuvres des auteurs grecs. Cette assemblée prit bientôt le nom d'Académie platonicienne et reflétait, en fait, l'esprit des académies en plein air de l'ancienne Athènes. Sa renommée ne tarda pas à franchir les frontières.

Dans son jardin, Cosme resta fidèle à la disposition classique, c'est-à-dire symétrique. Il fit planter des arbres fruitiers, des myrtes, des cyprès. Il fit mettre des bancs et aussi une fontaine au centre. Vasari rapporte dans l'un de ses ouvrages que l'eau avait été amenée tout spécialement et que, lorsque le petit-fils de Cosme, Laurent le Magnifique, (1449-1492) hérita Careggi, il orna ladite fontaine avec le charmant groupe de bronze de Verrochio *l'Enfant au dauphin,* que l'on peut voir actuellement dans la cour du palazzo Vecchio. Le jardin de Cosme était réputé pour les espèces végétales qui y poussaient. Rares et précieuses, elles venaient souvent de lointains pays étrangers, et l'on pouvait les étudier sur place. Cet intérêt pour la botanique exotique fut perpétué par Laurent.

Cosme l'Ancien possédait également une villa et un pavillon de chasse à Caffaggiolo, sur les hauteurs dominant Florence. Il ne subsiste malheureusement plus rien du jardin primitif, mais une peinture du XVIe siècle révèle qu'il était d'une grande simplicité. Le pavillon de chasse, *il Trebbio,* est toujours debout. Le jardin qui l'entoure appartient au type médiéval : il est clos de murs, avec des carrés régulièrement espacés de fleurs et de légumes.

Le palais de Cosme à Florence, situé via Larga (aujourd'hui la via Cavour) était presque aussi renommé que la villa de Careggi comme centre culturel. Cette massive construction, que Michelozzo dessina, servit de modèle à bien d'autres palais des grandes familles du XVe siècle. A l'intérieur, sa cour à arcades et colonnes est d'une beauté classique. Au-delà s'étend un grand bassin alimenté par une fontaine. On y voit des arbres verts savamment taillés et représentant des éléphants, des chiens, des cerfs et même des bateaux toutes voiles déployées.

Au fur et à mesure que les Médicis se procuraient d'antiques sculptures, ils les

L'Enfant au dauphin, de Verrochio. Primitivement, cette statue décorait la fontaine du jardin de Cosme de Médicis, à Careggi (à trois kilomètres de Florence). Actuellement, on peut la voir au palazzo Vecchio de Florence. *(Alinari.)*

répartissaient en différents endroits du jardin. Ces statues, alternant avec les animaux de verdure, semblaient animer le site. Bien entendu, au cours des siècles, le jardin a subi des modifications. Néanmoins une portion est encore intacte de nos jours.

Ce fut le grand Donatello, l'artiste préféré de Cosme, qui éveilla en lui son amour pour les antiquités. Laurent hérita du goût de son grand-père. Grâce à Laurent, qui encourageait toutes les formes de l'art, les jardins de San Marco devinrent une académie pour jeunes peintres et sculpteurs de talent. Là, sous la tutelle de Bertoldo, un élève de Donatello, les jeunes étudiants pouvaient copier les modèles qu'ils voyaient autour d'eux. Chacun recevait une somme d'argent correspondant à son talent. Michel-Ange, qui n'avait alors que quinze ou seize ans, fréquenta cette académie, et l'on s'aperçut immédiatement à quel point il était doué. Laurent de Médicis persuada alors le père du jeune garçon de le laisser vivre au palais, où lui-même le traita comme un fils.

L'art des jardins fit un bond en avant à Fiesole, lorsque Jean de Médicis, le plus jeune fils de Cosme l'Ancien, fit bâtir une villa au flanc d'une colline très escarpée. Par un rapport de Vasari nous savons que Michelozzo se mit à l'œuvre en 1458 et « construisit un magnifique et noble palais dont les fondations, en sa partie la plus basse, s'enfonçaient très profondément dans le sol, ce dont le maître profita pour faire installer dans cette portion de l'édifice des caves, des réserves, des écuries et autres dépendances ».

La situation de cette résidence nécessitait un arrangement spécial pour les jardins qui l'entouraient. Il fallut les organiser en terrasse. Cependant on n'avait pas encore imaginé à cette époque des rampes ou des escaliers décoratifs permettant de passer d'une terrasse à une autre. Les anciens Romains, d'ailleurs, n'avaient pas mieux résolu le problème. Aussi leurs jardins s'étalaient-ils sur un sol plan ou à peine déclive.

Pour pénétrer dans la partie inférieure des jardins des Médicis il fallait passer par les pièces souterraines ou par un sentier détourné. Seul un escalier strictement utilitaire reliait les différentes terrasses. La propriété était particulièrement agréable durant les mois d'été. Il y avait là de l'eau en abondance, beaucoup d'ombre et pas mal de vent. Un petit jardin tout simple flanquait la maison. Il ne comportait que deux allées, avec un grand bassin rond à leur point d'intersection. Une pièce de plein air y avait été aménagée pour que l'on puisse profiter du soleil et de l'ombre.

Ce type de petit jardin clos, planté tout contre la maison annonçait déjà le jardin secret *(giardino segreto)*, dont toutes les villas de la Renaissance ne purent se passer par la suite.

C'était une retraite intime qui, lorsque le jardin principal fut devenu un complexe classique et architectural, formait un coin à part, où les fleurs et les herbes abondaient, où l'on se réunissait en petit comité et où les enfants pouvaient même jouer. En fait, le *giardino segreto* perpétuait l'esprit du jardin médiéval, encore que, par certains détails, il appartînt à la Renaissance. L'un de ces enclos pleins de roses inspira de charmants poèmes à Laurent de Médicis, sans doute celui de Caffaggiolo, où il passa une partie de sa jeunesse.

La villa de Poggio a Caiano, à environ quinze kilomètres de Florence, fut la seule que Laurent fit construire pour son usage personnel. C'était évidemment sa résidence favorite : il y vivait sur un aussi grand pied qu'à la ville. Les terres qui dépendaient de cette villa s'étendaient fort loin à la ronde. Elles comprenaient des bois pour

114

la chasse, des cours d'eau pour la pêche et de vastes jardins pour le délassement et les jeux. Nous savons que ces jardins servaient de cadre à des bals, à des mascarades, à des festins... Ici aussi les Médicis se livrèrent à des expériences horticoles. Ils firent planter, en particulier, quantité de mûriers. Pendant plusieurs siècles, Poggio a Caiano accueillit d'éminentes personnalités mondiales qui se rendaient à Florence. En effet, même après l'époque de Laurent le Magnifique, les grands-ducs de Toscane (la branche cadette des Médicis) goûtèrent les charmes de cette demeure princière.

Aucune description contemporaine ne nous livre les détails du jardin, mais une peinture du XVIe siècle montre des arbres plantés symétriquement et un ravissant jardin clos, datant peut-être bien du temps de Laurent, et qui suggère un *giardino segreto*. La villa est maintenant devenue musée. Une partie du jardin a été convertie en « parc anglais » du XVIIIe siècle.

Après la mort de Laurent le Magnifique, en 1492, la fortune des Médicis subit des revers. Exilés à deux reprises, ils revinrent en 1531 comme ducs de Florence. Six ans plus tard, le dernier descendant en ligne directe de Cosme l'Ancien fut assassiné. Un

Le grand chêne de Pratolino, avec son double escalier rustique et sa plate-forme dans les branches. Gravure du XVIIe siècle de Stefano della Bella.

descendant de la branche cadette, Cosme Ier, souvent appelé le Grand, gouverna alors en tant que grand-duc de Toscane. Une autre période de prospérité et de splendeur suivit durant trois générations de gouvernants Médicis.

En 1540, un artiste attaché au duc, le sculpteur Il Tribolo, fut chargé de tracer les plans des jardins de la villa Castello. Vasari décrit ce jardin comme « le plus riche et le plus magnifique jardin d'agrément d'Europe ». Montaigne, de son côté, en fait une description enthousiaste. Il eut en effet l'occasion de le visiter en 1580, au cours de ses voyages à travers la Suisse, l'Allemagne et l'Italie. Une peinture de Giusto Utens, datant de la fin du siècle, nous révèle aussi d'intéressants détails.

Le terrain dépendant de la villa Castello avait été aménagé en un vaste enclos symétrique. Son importance artistique était considérable en raison des belles statues qui ornaient ses fontaines. Il offrait également un grand intérêt scientifique, car il possédait des aqueducs souterrains savamment distribués. Sa valeur horticole était loin d'être négligeable, car ses arbres étaient variés et cultivés avec soin. De plus, il contenait des plantes jusqu'alors inconnues, comme le jasmin des Indes. Ce jardin constituait en outre un cadre parfait pour les réceptions. Il comportait deux bassins rectangulaires sur le devant de la maison ainsi qu'une vaste pelouse. Un *giardino segreto* flanquait la demeure de chaque côté. Il est possible que l'un d'eux eût été réservé aux herbes médicinales, car une statue d'Esculape, le dieu grec de la médecine, avait été tout spécialement commandée pour l'orner. Derrière la villa le terrain s'élevait en pente douce.

Un des éléments essentiels de ce jardin est une grande fontaine à étages, colonnes et bassins, agrémentée de sculptures de bronze dues à Bartolommeo Ammanati et représentant Hercule et Antée. Autrefois les motifs ornant cette fontaine étaient plus nombreux; Montaigne nous décrit la statue en bronze d'une femme tordant ses longs cheveux mouillés. Certains pensent qu'il s'agit de Vénus, mais, le plus souvent, on désigne ce chef-d'œuvre sous le nom de *Florence sortant de l'onde*. Cette statue, sculptée par Jean de Bologne, se trouve actuellement aux abords de la villa Petraia.

Autrefois aussi des plantations très denses de cyprès, de lauriers et de myrtes entouraient la fontaine centrale du Castello. Ces arbres ont disparu, ainsi que les cabinets de verdure odorants signalés par Montaigne[1]. Les orangers et les citronniers que Vasari mentionne de son côté sont remplacés aujourd'hui par des arbres analogues, mais plantés dans des jarres que l'on dispose en bordures chaque printemps. L'hiver ils sont conservés dans des serres. Contre les murs ensoleillés du jardin, des arbres fruitiers sont toujours taillés en espalier.

Au milieu du *bosco,* que l'on trouve tout en haut du jardin, on peut encore voir, dans un bassin central, la statue accroupie d'un colosse personnifiant l'Apennin. La grande grotte qui s'ouvre au pied de l'éminence est alimentée en eau par un réservoir situé au-dessus. Son entrée faisait l'orgueil des jardiniers qui l'avaient conçue. Elle constituait une sorte d'attrape. Le visiteur qui s'en approchait innocemment était brusquement inondé par des jets d'eau jaillissant d'entre les cailloux. Ces jets étaient commandés par un aide-jardinier, qui ouvrait ou fermait les robinets sur commande. Spirituel, comme on voit! A l'intérieur de la grotte trois grandes niches ornées de coquillages contenaient une remarquable collection d'animaux grandeur nature, les uns en pierre, les autres en stuc. Certains étaient dotés d'andouillers et de cornes véritables. Cette fraîche grotte était une sorte de ménagerie pour les gens qui n'avaient pas l'occasion de voyager : ils pouvaient y voir des animaux inconnus d'eux, comme le chameau, l'éléphant ou le rhinocéros.

Autre merveille du Castello : le cabinet de verdure qui, jadis, se cachait parmi l'épais feuillage d'un arbre toujours vert. Cet arbre était certainement une yeuse ou chêne vert, comme on peut le penser d'après ce qu'il reste d'un autre, comportant un escalier rustique, que l'on peut voir encore aujourd'hui à Petraia.

Au centre d'une petite table de marbre qui se trouvait dans le chêne vert du Castello une fontaine jaillissait d'un vase. Montaigne, qui décrit cet arbre, précise qu'il était impossible d'énumérer les multiples manières dont l'eau de ce chêne pouvait doucher les invités. C'était là, paraît-il, une plaisanterie fort goûtée à l'époque.

Entrée d'Atlas. Gravure de 1661. Réjouissances organisées dans les jardins Boboli de Florence pour le mariage de Cosme III de Médicis et de Marguerite-Louise d'Orléans. *(Metropolitan Museum of Art, Dick Fund, 1940.)*

Un système de tuyaux de cuivre permettait également de « faire siffler et chanter l'eau de mille façons différentes ».

Un autre refuge aérien fut installé dans un grand arbre à Pratolino. Une gravure du XVIIe siècle nous le montre, flanqué d'un double escalier permettant d'accéder à la plate-forme.

Aujourd'hui, privé des arbres verts qui servaient d'écrin à sa fontaine centrale, le jardin du Castello manque de charme et semble impersonnel. Il est trop dépouillé : tout ce qu'il contient saute aux yeux dès l'abord.

Certes, de nombreux jardins semblables à ceux des Médicis ont existé aux environs de Florence! Mais, si les riches demeures subsistent encore au flanc des collines de la Toscane, leurs jardins, eux, ont disparu, soit qu'il eût été trop difficile de les entretenir, soit qu'ils aient subi de profonds changements. Au XIXe siècle, l'influence anglaise se fit sentir : bordures de plantes vivaces, pelouses vertes, arbres de haute taille devinrent à la mode. Les Anglais, qui arrivaient en masse en Italie, bouleversaient les jardins typiquement italiens des villas qu'ils achetaient et transformaient le décor à leur idée. Les jardins qu'ils créèrent alors ne manquent pas de beauté, mais ils ne s'harmonisent pas avec les demeures qu'ils entourent. Deux petits joyaux, cependant, ont conservé jusqu'à nos jours leur caractère Renaissance : la villa Capponi, à Arcetri, et la villa Gamberaia, à Settignano.

Les jardins de la villa Capponi sont divisés en trois parties : une pelouse pour les jeux, des parterres de fleurs avec des cédratiers et un petit jardin secret clos de murs.

La villa Gamberaia est volontiers décrite comme « faisant beaucoup d'effet en dépit de ses dimensions modestes »[2]. Les quatre divisions de son jardin principal ont récemment été transformées en un plan d'eau qui reflète de manière charmante les nuages, le ciel bleu et la verdure d'arbustes taillés. Une haute haie, formant des arcades, limite le jardin et ménage des trouées au travers desquelles on a une vue admirable. Le plan du jardin comprend également un *giardino segreto,* un boulingrin et un *bosco.*

Les jardins les plus grandioses et les plus vastes de Florence sont les jardins Boboli, sur la rive gauche de l'Arno. On y accède facilement par le ponte Vecchio. Le palais d'origine, édifié à l'époque pour rivaliser avec celui de Cosme l'Ancien, ne subsiste plus aujourd'hui qu'en partie. Le riche Luca Pitti, qui le fit construire, ordonna que ses fenêtres fussent aussi larges que la porte d'entrée du palais des Médicis. Des difficultés d'ordre financier interrompirent les travaux pendant près de huit ans. La famille Pitti conserva néanmoins ce palais jusqu'en 1549, date à laquelle il fut vendu à Éléonore

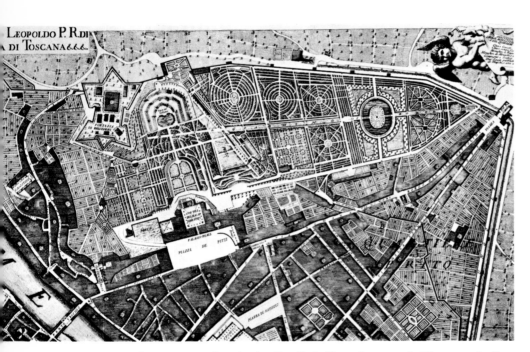

A GAUCHE : plan des jardins Boboli sur la carte de Florence de Cosme Zocchi, 1783. AU CENTRE : les jardins du Vatican, au-dessous de la villa Pia, au XVIIᵉ siècle. On peut comparer cette gravure avec celle, du XVIᵉ siècle, qui se trouve à droite et où la lettre N représente la villa. Tiré des *Giardini di Roma* de Giovanni Battista Falda, 1683. A DROITE : cour du Belvédère, dessinée par Bramante, et qui relie le

de Tolède, la très riche épouse espagnole du grand-duc Cosme Iᵉʳ. A partir de ce moment-là le palais s'agrandit et les jardins commencèrent à se développer. On chargea Il Tribolo, qui avait déjà dessiné ceux du Castello, d'en tracer les plans. Mais il mourut au bout d'un an, et ce fut Ammanati qui prit la relève. Pendant environ cent cinquante ans quatre architectes différents s'employèrent à dessiner les jardins et six générations de Médicis embellirent le palais, qui finit par devenir le plus impressionnant du monde.

Juste derrière lui, dominant le jardin, s'étale un amphithéâtre en forme de fer à cheval. Situé sur un terrain en pente douce à flanc de colline, il comporte un bassin avec une fontaine ornée d'une statue de Neptune. Tout en haut d'un escalier assez raide se dresse une autre statue représentant l'Abondance. D'un peu partout on a une vue splendide sur Florence. Même lorsqu'on est assis sur les gradins de l'amphithéâtre, une partie du Duomo demeure visible.

Pour les défilés, mascarades, festins et autres fêtes dont le palais et la ville furent le cadre, les artistes les plus célèbres de l'époque dessinèrent des costumes, préparèrent des décors de carton-pâte, façonnèrent des statues de stuc, inventèrent des automates et acceptèrent même d'organiser eux-mêmes les réjouissances. Giorgio Vasari fit ainsi des arcades et des bannières pour la réception de l'empereur Charles Quint aussi bien que des décorations géantes pour le mariage de Pierre de Médicis, fils aîné de Cosme le Grand, avec l'archiduchesse d'Autriche.

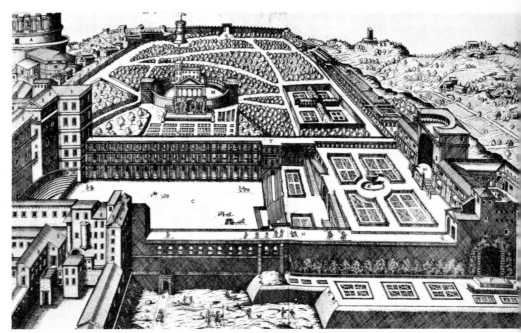

palais du Vatican (à gauche) avec la villa Belvédère (à droite). Cette cour servait de cadre à des joutes et à des défilés. La présente gravure (1579), due à Ambrosius Brambilla, a été faite juste avant la construction de la bibliothèque du Vatican sur la terrasse inférieure. Collection d'Antonius La Freri : *Speculum romanae magnificentiae* (le Miroir de la splendeur romaine). *(New York Public Library.)*

Léonard de Vinci lui-même imagina un lion mécanique qui déversait des flots de lis pour accueillir François Ier à Milan.

Florence, réputée pour ses fêtes, n'en connut pas de plus éclatante que celle qui se déroula dans les jardins Boboli par une nuit d'été de 1651, pour le mariage de Cosme III de Médicis et de Marguerite-Louise d'Orléans. Un petit livre[3] intitulé *il Mondo festeggiante, balleto a cavallo* (publié en 1661) décrit le défilé et nous montre une gravure représentant un géant de bois et de toile : Atlas portant le Monde. Les cavaliers paradant en musique dans le cortège étaient costumés de manière à figurer l'Europe, l'Amérique, l'Asie et l'Afrique. Puis Atlas faisait son entrée, accompagné

Planches

71. Statue de Jean de Bologne représentant *Florence sortant de l'onde*. Elle se trouvait autrefois dans le jardin du Castello du grand-duc Cosme Ier. On peut la voir aujourd'hui dans le voisinage de la villa Petraia. *(Alinari.)*

72. La villa et les jardins du Castello dessinés par Il Tribolo pour Cosme le Grand. Cette peinture de Giusto Utens montre les deux *giardini segreti* à chaque extrémité de la bâtisse, l'épaisse plantation d'arbres à feuilles persistantes autour de la fontaine centrale et la fontaine *l'Apennin,* qui alimente un bassin, un peu plus haut. *(Soprintendenza alle galeria, Florence.)*

73. Jardin de la villa Castello. Son dessin nettement tracé, la grande fontaine centrale et les jarres plantées de cédratiers sont caractéristiques des jardins du XVIe siècle. L'entrée de la grotte est la porte à colonnes pratiquée dans le mur du fond. *(Frederico Mella, Milan.)*

74. La villa Médicis, à Fiesole. Sa situation et ses plantations conventionnelles rappellent les principes architectoniques d'Alberti. Mais les jardins en terrasse étaient une innovation hardie pour l'époque. *(Alinari.)*

75. *L'Apennin,* statue colossale, œuvre de Bartolommeo Ammanati. Ce géant est accroupi dans le bassin qui décore le *bosco,* au-dessus de la villa Castello. *(Alinari.)*

76. Photo prise au début du XXe siècle. Le chêne vert de la villa Petraia. Un petit escalier conduisait à une plate-forme aérienne. *(Alinari.)*

77. Des griffons gardent l'entrée de l'orangerie à la villa Capponi à Arcetri, près de Florence. *(Henry Clifford. Photo Bertoni.)*

78. L'île des jardins Boboli est restée telle qu'il y a trois cents ans. Le petit jardin, au centre, a conservé ses massifs primitifs. Des jarres de terre plantées d'orangers et de citronniers décorent toujours la balustrade. *(Alinari.)*

79. L'amphithéâtre, derrière le palais Pitti, à Florence. *(Alinari.)*

80. La grotte tarabiscotée que les visiteurs peuvent encore voir à l'entrée des jardins Boboli est une remarquable combinaison de stuc, de sculptures et de fresques. *Les Prisonniers* de Michel-Ange (remplacés aujourd'hui par des copies) étaient entourés de créatures fantastiques en coquillages. *(Touring Club italien, Milan.)*

81. Le jardin de la villa Gamberaia, à Settignano, permettait une vue panoramique de la campagne toscane. Peu étendu, mais admirablement agencé, il ressemble à un joyau placé dans un somptueux écrin. *(Photo Tet Borsig.)*

82. Le jardin de la villa Médicis, à Rome. Il a à peine changé depuis le XVIe siècle. (Vu de la terrasse supérieure.) *(Touring Club italien, Milan.)*

83. De la loggia de la villa Médicis (décorée par le *Mercure* de Jean de Bologne) on plonge dans le jardin. Le *bosco* est à gauche, la galerie de sculptures à droite. *(Anderson.)*

72

73

74

75   76

79

80

82

83

d'un ruissellement de paillettes d'or et d'argent symbolisant le Soleil et la Lune. On avait également imaginé « une vaste machine dans une niche ». De là, après un bruit semblable à un coup de tonnerre, on voyait sortir un char tiré par quatre chevaux et conduit par Jupiter.

La splendeur de cette fête n'eut d'égale que celle des fêtes de Versailles imaginées plus tard par Louis XIV. Il paraît que le livret dont nous venons de parler lui serait tombé sous les yeux et que cet ouvrage aurait inspiré au Roi Soleil le goût d'imiter les fastes de Florence. D'où ses fameux « festins du roi », qui ne duraient pas moins d'une semaine.

Les premières descriptions du jardin Boboli évoquent trois sortes de plantations sur les terrains entourant l'amphithéâtre, avec un jardin classique au bord du fleuve, près du palais Pitti. Un peu partout, les ombrages étaient remarquablement répartis. Des allées latérales, partant des allées principales, aboutissaient à de calmes retraites. Certaines partaient de ronds-points, comme les rayons d'une roue. Il existait aussi un labyrinthe.

La plupart des statues et des fontaines se trouvant là à l'origine ont disparu, car les différents propriétaires des jardins les modifièrent au fil des âges et selon la mode du temps. Ont disparu également les arbres taillés admirés par l'Anglais John Evelyn en 1644, et aussi les volières, le boulingrin et le jardin botanique. Les Médicis, passionnés par les expériences horticoles, en tentèrent quelques-unes dans les jardins Boboli : ils plantèrent là, en particulier, des mûriers et... des pommes de terre, merveilles étrangères récemment importées en Europe.

Sur la pente ouest, le jardin, que rien ne limitait de ce côté-là, se développa harmonieusement. On y trouve une longue avenue rectiligne de cyprès, flanquée de deux autres allées d'arbres à feuilles persistantes. On y voit aussi un grand bassin de forme ovale, dessiné par Vasari, avec une petite île au centre. Dans l'île même on peut admirer la statue colossale de l'Océan et les trois fleuves qui soutiennent son piédestal. Ce groupe passe pour le chef-d'œuvre de Jean de Bologne. Le décor est agrémenté de rosiers grimpants et d'orangers plantés dans des jarres de terre.

Le jardin Boboli n'a guère changé depuis le XVIIIe siècle, époque où il subit de nombreuses modifications. Ses statues, d'inspirations très diverses, l'empêchent d'être classique. Aujourd'hui encore il mérite sa réputation d'être l'un des plus beaux jardins qui soient. On continue à y donner des pièces et des concerts. Il attire chaque année des milliers de visiteurs.

Chacun des jardins de la Toscane a contribué à créer le jardin type de la Renaissance. Comme les étés secs et brûlants ne permettaient que les fleurs de printemps ou celles pouvant se cultiver en pot, la beauté permanente du décor était fournie par des haies d'arbres à feuilles persistantes taillés, par de grands arbres verts et par de verdoyantes retraites. Ce cadre de verdure faisait ressortir les parures chatoyantes des beaux messieurs et des belles dames de l'époque. Les habits devinrent d'un luxe inouï. L'éclat des joyaux ajoutait encore à la somptuosité des longues robes des femmes. Les hommes portaient des tuniques de brocart. Souvent les jambes de leurs chausses étaient de couleur différente. Beaucoup portaient de petits chapeaux de feutre rouge.

Les jardins de la Renaissance connurent leur plus grande gloire à Rome, mais pas avant que Florence en eût donné le ton. Rome, en effet, ne se lança dans la création de jardins princiers que plus d'un siècle après que Cosme de Médicis eut fait de sa résidence de Careggi un centre horticole célèbre.

Rome avait connu une période troublée avec la rivalité de la papauté et de l'Empire, le séjour des papes en Avignon et le schisme qui divisait l'Église. La cité offrait l'aspect d'un affreux mélange de ruines antiques et de sordides maisons médiévales. On y menait une existence déprimante et malsaine. La violence et la misère y étaient reines.

Ce lamentable état de choses dura jusqu'à ce qu'un pape énergique, Martin V (mort en 1431), réussit à rétablir l'autorité papale à Rome. Un semblant d'ordre revint alors, avec l'espoir et la sécurité. Puis des papes orgueilleux changèrent la face de la cité en faisant construire églises monumentales, palais et fontaines par les plus grands artistes des XVI et XVII siècles. Ils se procurèrent l'argent nécessaire en prélevant de lourdes taxes et par la vente des indulgences. Ces imposants travaux furent tragiquement interrompus en 1527, quand les troupes de Charles Quint pillèrent Rome. Néanmoins l'impulsion était donnée : les princes de l'Église avaient instauré une mode — à vrai dire plus matérielle que spirituelle — et la reconstruction de la cité ne tarda pas à reprendre et à se poursuivre. Bientôt Rome revêtit une réelle et toujours croissante splendeur.

Prenant exemple sur les autres souverains, les papes de la Renaissance patronnèrent les peintres, les sculpteurs, les architectes. Beaucoup de ces artistes faisaient la navette entre Rome et Florence, où l'on se disputait leurs services.

Les princes de l'Église vivaient sur un aussi grand pied que les princes des cités-États. Ils s'entouraient d'un luxe extraordinaire. Ils firent dessiner de merveilleux jardins et construire de magnifiques palais de plaisance pour y recevoir à leur gré. Papes et cardinaux jouissaient pleinement des bonnes choses de la vie : repas fins, décors somptueux, vastes bibliothèques. Ils ne se privaient ni de collectionner les statues ni de goûter aux plaisirs de la chair.

Cependant, de temps en temps, il se trouvait des hommes austères et éclairés, comme le pape Jules II (1503-1513), qui œuvrèrent sincèrement pour la gloire de Rome et de l'Église. Jules II voyait grand : il envisagea bientôt de reconstruire Saint-Pierre et d'agrandir le palais du Vatican. Avant même d'accéder à la papauté il s'était constitué une belle collection de sculptures anciennes. Cet amateur d'art était désireux d'abriter cette collection au Vatican et aussi dans le palais d'agrément du Belvédère, que son prédécesseur avait fait bâtir sur une colline voisine. Il chargea Donato Bramante (1444-1514) de dessiner une cour qui permettrait d'exposer certaines statues et de créer une galerie couverte pour aller d'une résidence à l'autre.

Bramante avait une connaissance parfaite de l'art de la Renaissance. Aussi était-il tout indiqué pour dessiner un grand jardin d'agrément combinant une retraite privée et un espace susceptible de permettre des réjouissances populaires : processions et défilés. Mais sa cour du Belvédère est encore mieux que cela : c'est un véritable chef-d'œuvre, presque révolutionnaire à l'époque. La perspective, les proportions, les terrasses en font un tout admirable. Bramante y utilisa des murs de soutènement, des escaliers ornementaux grandioses et des rampes qui reliaient les différents plans entre eux. Ces innovations signifiaient que, à l'avenir, on n'aurait plus besoin de rechercher des pentes douces. L'unité entre les différentes terrasses était également chose faite.

Le pape Paul III (1534-1549) était, de son côté, un amateur d'art éclairé. Il fit tracer de célèbres (et fort coûteux) jardins sur les pentes du mont Palatin. Au cours des dernières années de sa vie, il chargea l'architecte Jacques de Vignole (1507-1573) de dessiner une vaste entrée conduisant à ces jardins à partir du Campo Vaccino (aujourd'hui le Forum romain). Pendant des siècles les pierres des anciennes constructions et la terre même de la colline avaient été entraînées par les pluies : le niveau du Forum s'était élevé. Couvert d'herbes, celui-ci n'était plus qu'un endroit où vaches et moutons venaient paître. Sur ce sol Vignole érigea un mur et une porte monumentale donnant sur un *teatro* en hémicycle orné de niches pour les statues. De là une rampe et plusieurs escaliers menaient, de palier en palier, jusqu'au sommet de la colline, où l'on pouvait voir deux

Les jardins Farnèse, dessinés par Jacques de Vignole couvraient primitivement tout le Palatin. Plus tard les parterres furent redessinés par Rainaldi.

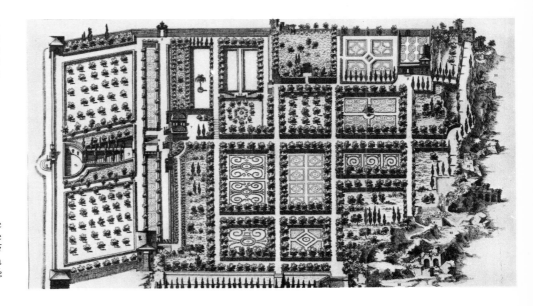

PAGES SUIVANTES : Entrée des jardins Farnèse sur le Forum. Tiré des *Giardini di Roma* de Giovanni Battista Falda, 1683. *(New York Public Library.)*

volières carrées flanquées de murs et reliées à une balustrade. L'ensemble, dominant le paysage alentour, évoquait la façade d'un bâtiment qui, en fait, n'existait pas.

Les vestiges d'une fontaine et d'une grotte sont encore visibles dans cette partie du Forum, que couronnent les volières primitives, plus ou moins mutilées. Des vergers, des bouquets de cyprès et des arbres décoratifs rendaient les flancs de la colline particulièrement verts et riants. Dans ces jardins du Palatin poussaient toutes sortes d'arbres, d'arbustes et de fleurs exotiques ramenés de contrées lointaines. Le pape s'y intéressait beaucoup et se procurait autant de variétés nouvelles qu'il le pouvait. Plus tard, ces jardins furent cédés au duc de Parme, qui en fit redessiner les parterres par Carlo Rainaldi. Ces jardins subsistent encore en partie, mais les fouilles des archéologues les ont considérablement abîmés.

Les jardins de Paul III — connus sous le nom de jardins Farnèse — continuèrent à prendre de l'importance au cours des années qui suivirent. En 1625 un catalogue des plantes rares qui s'y trouvaient fut publié. A cette époque toute l'Europe s'intéressait à l'horticulture. Les amateurs collectionnaient avec avidité les végétaux du Nouveau

Monde, les oignons de fleurs venus d'Asie Mineure (tulipes, narcisses notamment) et les arbustes provenant de l'Amérique centrale.

Un charmant petit livre illustré, *Flora — ouero Cultura di fiori,* parut en 1633. Son auteur, le père Giovanni Battista Ferrari de Sienne, chargé de veiller sur le jardin de la famille Barberini, dresse une liste des variétés de végétaux susceptibles d'embellir un *giardino segreto* ou une collection botanique. Outre les bulbes de tulipes et de narcisses, il cite la fritillaire, le muscari (ail à toupet) et l'ornithogale. Il mentionne aussi plusieurs variétés de roses, l'iris d'Espagne et de Perse, le lilas, le cyclamen, le lychnis et la lobélie. Ce livre nous révèle également de précieuses recettes concernant l'établissement d'herbiers, la distillation des fleurs, leur usage en confiserie, la façon de les empaqueter avant expédition et les mille et une façons de les disposer dans des vases.

L'importance accordée à l'horticulture au xvie siècle transparaît dans la beauté des jardins de la villa Pia du pape Pie IV (1559-1565), au Vatican, et dans celle des merveilles qui entourent la villa du pape Jules III.

La villa Pia est une véritable retraite composée d'un très petit palais décoré de belles colonnes et de statues.

Tout autre était le classique palais d'agrément que Jules III s'était fait construire près de la via Flaminia, sous les jardins Borghèse. Ce séjour, qui n'avait rien d'une retraite, était bien fait pour se délasser et prendre du bon temps pendant les torrides étés italiens. Pièces fraîches, colonnades, *nymphaeum* ombragé, couloirs souterrains, agréables pelouses, tout cela en faisait un endroit idéal pour musarder et recevoir. De ces merveilles subsistent encore des portions de jardin rappelant les *giardini segreti* d'autrefois et aussi une charmante colonnade au plafond décoré d'une fresque représentant un treillis de roses et de raisins. Cette partie de la villa, croit-on, était une reconstitution d'une ancienne colonnade romaine. La facture des jardins réunit un faisceau de signatures célèbres : Vignole, Vasari, Michel-Ange et Ammanati. Au temps de Jules III fontaines, statues et arbres descendaient jusqu'au Tibre.

A Rome, cependant, il reste encore, intact, un parfait exemple de jardin d'agrément Renaissance tout imprégné du charme du xvie siècle, avec ses massifs floraux et ses bois de chênes verts. C'est la villa Médicis, école française de Rome depuis que Napoléon l'acheta aux grands-ducs de Toscane. Elle a en effet conservé son caractère primitif, et c'est un délice que de parcourir ses allées ou d'explorer ses profondeurs boisées.

La villa, proche de la Trinité des Monts, occupe une partie du Pincio, l'ancienne *Collis Hortulorum,* à laquelle on associe par la pensée les noms de Lucullus, de Domitien et de Salluste. Jardin et villa furent terminés peu après 1580, lorsque le cardinal Ferdinand de Médicis acquit la propriété. Les occupants de la villa et leurs invités pénétraient dans le jardin par une galerie ouverte. Ils descendaient quelques marches et se retrouvaient dans un espace réservé aux jeux animés et aux divertissements. De là on passait dans le jardin principal, divisé symétriquement en six.

Comme les autres membres de la famille des Médicis, le cardinal manifestait beaucoup d'intérêt pour les sculptures tant anciennes que modernes. Il fit disposer des statues un peu partout dans les jardins et en exposa dans des galeries. Il acquit une collection entière de bas-reliefs pour en orner la façade de la villa. Par ailleurs, des bustes et des statues classiques furent placés dans des niches aménagées à cet effet.

Gravure de Piranesi de 1765 représentant la villa d'Este. Au premier plan, statues et fontaines du *rondello*. Tiré de *Veduta di Roma,* de Jean-Baptiste Piranesi.

Avec Florence, qui ressuscitait les principes classiques des jardins conventionnels, et Rome, qui se préoccupait d'ornements architecturaux, il ne restait qu'un élément à ajouter pour compléter le style italien. Et cet élément c'était l'eau! Mouvante, bondissante, jaillissante ou dormante, on en fit un abondant usage.

De plus en plus, cependant, les résidences d'été se situaient sur les hauteurs, au nord de Rome — où se trouvait Tivoli — et au flanc du mont Albain. Rome elle-même ne cessait de s'agrandir, et l'eau lui devenait de plus en plus nécessaire. Dieu merci, elle ne faisait pas défaut et alimentait abondamment fontaines et cascades.

Le plus typique exemple de « jardin d'eau » est celui de la villa d'Este, à Tivoli, à une trentaine de kilomètres de Rome. Commencé vers 1550 par le cardinal Ippolito d'Este, fils de Lucrèce Borgia, il a été progressivement embelli par ses successeurs. Ses cascatelles sont célèbres. L'eau jaillit de partout. Contrastant avec cette animation, un grand bassin rectangulaire reflète les vertes profondeurs environnantes et les nuages du ciel.

Autrefois, on trouvait dans le jardin de la villa d'Este de verdoyantes retraites ou « berceaux », et aussi des « jardins de simples » ou jardins d'herbes *(giardini de semplici)*. Ces berceaux disparurent peu à peu et furent remplacés par le *rondello,* où des fontaines et huit statues représentant les arts se nichèrent parmi des cyprès.

La villa d'Este et ses jeux d'eau impressionnèrent beaucoup Montaigne, qui nous en a laissé une description enthousiaste. L'écrivain admira aussi énormément la villa toscane de Pratolino, que le grand-duc François de Médicis fit construire en 1568,

Vue primitive de la villa d'Este, à Tivoli. Les labyrynthes qui accueillaient les visiteurs dès l'entrée, dans la partie basse du jardin, n'existent plus. Les jardins de simples ont, eux aussi, disparu. Gravure de Giacomo Loro, *Antiquae urbis splendor,* 1612. *(New York Public Library.)*

peut-être pour rivaliser avec la villa d'Este. Ici encore l'eau était employée de mille façons pour agrémenter le paysage et réjouir à la fois la vue et l'ouïe. Elle servait aussi à jouer des tours en aspergeant les visiteurs. Elle animait, par le seul effet de son poids, des statues qui semblaient alors presque vivantes. Une statue de Pan, entre autres, jouait de la flûte. Une femme lavait son linge : l'eau dégouttait du linge qu'elle tordait et, à côté d'elle, l'eau pleine d'écume d'un bassin semblait bouillir comme celle d'une lessive. Autre merveille de ce jardin, une gigantesque fontaine représentant l'Apennin : une petite pièce était ménagée dans la tête de la statue. Celle-ci est du reste la seule qui subsiste encore de nos jours.

A la fin du xvie siècle, dans les jardins italiens tels que ceux de la villa d'Este, on note une réaction contre le jardin classique conventionnel. On commence à préférer les statues contemporaines aux statues de l'Antiquité. Les artistes se détournent de la mode des fontaines à étages. Ils créent des figures compliquées pour orner les bassins. L'architecture évolue de plus en plus. Les courbes se multiplient, les volutes apparaissent. Le baroque, qui vise à impressionner, est souligné par des lignes hardies, l'exagération des effets, l'association du beau et du grotesque. Le mouvement s'étend à la peinture et se retrouve dans la structure des jardins de l'époque. La villa d'Este en offre un exemple avec les détails de son orgue aquatique et certaines de ses statues. Les jardins Boboli, également, combinent parfois le traditionnel et le grotesque. De même, la villa Farnèse de Caprarola et la villa Lante de Bagnaia révèlent un goût pour le style baroque tant dans leurs statues que dans leurs autres ornements.

Au printemps de 1550, Vignole fut chargé par le cardinal Alexandre Farnèse de construire un palais entouré de jardins à une cinquantaine de kilomètres de Rome, sur les hauteurs du mont Cimino. Là, à Caprarola, dominant un admirable site, subsistaient les restes d'une antique forteresse qui servit de base au nouveau palais. Vignole fit des merveilles. Contrastant avec l'aspect sévère de l'architecture, les jardins aux parterres symétriques constituent un modèle de grâce et d'élégance. L'un d'eux possédait une grotte qui laissait sourdre des gouttes d'eau « avec un bruit de pluie » et qui disparaissait presque sous les roses à la belle saison.

L'autre était planté de petits arbres fruitiers. En son centre se trouvait un bassin avec des poissons.

Le palais lui-même est une splendeur. Vignole mourut en 1573, avant qu'il ne fût achevé, mais on suivit ses directives jusqu'au bout. On accède à la maison par une allée ombragée et, chemin faisant, on peut admirer des bassins et des fontaines. Le parterre de buis taillé de la terrasse est bordé de *canephorae* de pierre (les porteurs de paniers de l'Athènes antique) perchés sur des banquettes, de pierre également. Du côté opposé, le palais fait face à deux entrées conduisant dans les bois au-delà. Le bâtiment est flanqué de galeries ouvertes.

Les connaisseurs, cependant, considèrent la villa Lante de Bagnaia comme la plus exquise des créations de l'époque. C'est le plus petit des « grands jardins » du xvie siècle. Vignole le dessina, à la demande du cardinal Gambera, aux alentours de 1566. Là encore l'eau est le principal élément décoratif. La villa Lante diffère des autres palais en ce sens qu'au lieu d'un bâtiment central elle se compose de deux, rigoureusement identiques, au centre desquels l'eau dévalait en cascade pour aboutir à un grand bassin

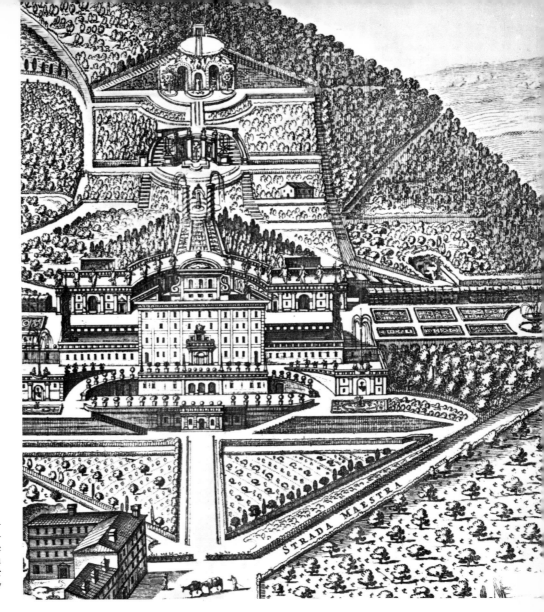

Détail d'une gravure primitive de la villa Aldobrandini, au flanc de la colline dominant Frascati. Tiré du *Museum italicum* publié par A. Alberts à La Haye. (*New York Public Library.*)

au-dessous. Dans ces jardins, encore, l'eau se livrait à de véritables jeux tant aériens que souterrains. Cette riante résidence possédait bien d'autres charmes, entre autres des statues, des promenades ombragées et un labyrinthe qui semblaient annoncer les parcs anglais cent cinquante ans à l'avance.

Le jardin le plus extraordinaire, peut-être, est celui créé par Pierfrancesco Orsini en 1572, en contrebas de la villa de sa famille, dans la petite ville de Bomarzo, près de Viterbe. Dédaignant la colline abrupte derrière le palais, il choisit comme site la vallée boisée qui s'étale devant et qu'arrose un cours d'eau. Là, parmi les affleurements calcaires qui hérissaient le sol, Orsini imagina son « jardin ». Ce jardin est plus exactement une exposition de sculptures à ciel ouvert. On y voit des êtres de cauchemar : monstres et ogres taillés dans la pierre, « sur place ». D'après une légende, ce seraient des prisonniers de guerre turcs qui, après la bataille de Lépante, auraient été amenés là pour façonner ces fantastiques créatures.

Dans ce même jardin signalons un très beau petit temple, tout à fait classique lui, élevé à la mémoire de la défunte épouse du duc et que Vignole aurait dessiné.

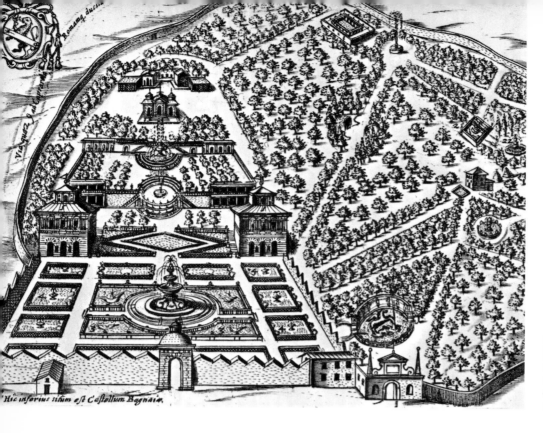

Plan de la villa Lante, à Bagnaia. La fontaine primitive décrite par Montaigne est bien visible. Gravure de Giacomo Loro, 1612. *(New York Public Library.)*

Des arbres ont récemment été plantés dans ce jardin extraordinaire. Quand ils auront atteint leur taille normale, nul doute que l'ombre de leur feuillage n'ajoute un élément mystérieux aux statues fantastiques du domaine Orsini.

Depuis les temps médiévaux les riches familles nobles construisaient leurs résidences sur les pentes des monts Albains, dont les villages prirent le nom de Castelli Romani. L'un de ces villages, Frascati, connut une grande vogue à la fin du XVIᵉ siècle et au début du XVIIᵉ siècle. Là, les princes de la noblesse et de l'Église se firent construire de somptueux palais, avec vue merveilleuse sur les lacs volcaniques, la campagne et même jusqu'à la mer.

Les papes offraient souvent des villas à leurs neveux (dont la plupart étaient cardinaux) ou en finançaient la construction. C'est ainsi que Clément VIII acheta une petite villa — en 1598 — pour son parent, le cardinal Pietro Aldobrandini. En cinq ans celui-ci la transforma en la plus imposante de toutes les villas italiennes baroques. Il choisit comme architecte un élève de Michel-Ange, Giacomo della Porta. Les deux spécialistes des fontaines furent Giovanni Fontana et Orazio Olivieri, qui avait déjà œuvré pour la villa Lante et la villa d'Este. L'austère façade du palais se dresse à mi-coteau, dominant Frascati. Sa clôture sortait de l'ordinaire : en pierre et en fer forgé, elle comportait des ouvertures ovales, en forme d'œil, qui donnaient au visiteur l'impression d'être épié. En revanche, des tunnels de verdure semblaient fort accueillants. L'allure grandiose de la villa est renforcée par ses larges terrasses horizontales et des escaliers en diagonale. En raison de la pente, l'arrière de la maison ne comprend que deux étages. A signaler un *nymphaeum* et de frais refuges contre la chaleur. Dans ce *nymphaeum* on pouvait voir une bille de cuivre dansant sur un courant d'air savamment provoqué. Actuellement encore, dans une niche centrale, se trouve une statue d'Atlas — terminus d'un circuit aquatique — portant sur son dos un Monde ruisselant. Dans ce jardin à

138

flanc de colline l'association des végétaux à l'état sauvage et les massifs conventionnels soulignent le passage du classique au baroque.

Les villas de Frascati connurent des fortunes diverses. Les unes furent démolies. D'autres furent bombardées pendant la guerre. Certaines, restaurées en totalité ou en partie, font encore l'admiration des touristes de nos jours, telles la villa Aldobrandini et la villa Torlonia.

A Rome il existe encore deux grands parcs, l'un public, l'autre privé, qui furent acquis et agrandis pendant la première moitié du xviie siècle par les cardinaux des familles Borghèse et Pamphili. La villa Borghèse, située à peu de distance de la porte du Peuple, est fort vaste. Des jardins de fleurs classiques flanquent le palais. Mais, chose remarquable, le reste du terrain est boisé et tout parsemé d'innovations baroques. Au xviiie siècle, l'influence des parcs anglais s'y fit sentir. On ajouta alors au décor d'origine un large amphithéâtre, un lac en face d'un petit temple et... de fausses ruines. On planta également de nouvelles variétés d'arbres et d'arbustes. Restée propriété de la famille Borghèse jusqu'en 1901 la villa constitue aujourd'hui l'un des plus beaux parcs publics de Rome. La galerie d'art du palais est célèbre.

La villa Pamphili se dresse sur le Janicule. Là encore, c'est surtout les terrains boisés et à l'état sauvage, autour des jardins de fleurs classiques, qui font l'originalité de cette demeure. Le « style parc anglais » y triompha au début du xixe siècle, si bien qu'il ne reste plus grand-chose aujourd'hui du jardin primitif baroque.

Disons un mot d'Isola Bella. Charmante, magique, presque irréelle, elle semble flotter comme une barque fleurie sur les eaux du lac Majeur, entourée de montagnes neigeuses. Si l'on en croit la légende, les femmes de la famille Borromée détestaient leur résidence citadine « à cause des cris des prisonniers croupissant dans les oubliettes ». Aussi le comte Charles Borromée eut-il l'idée de faire construire un palais sur cette île rocheuse. On rabota le sol et on fit appel à Carlo Fontana. En 1670 les jardins en terrasse étaient terminés, contrairement au palais qui ne fut achevé que récemment, mais, fort heureusement, d'après les plans originaux. Le jardin classique se trouve derrière le palais. Il mène directement à dix terrasses rectangulaires qui dominent le lac et où l'on trouve à foison des haies vertes, des vignes et des arbres en espalier. Flanquant chaque terrasse, un obélisque se dresse vers le ciel. Comme dans les antiques jardins de Babylone se cachent ici d'accueillantes retraites ombragées. Suivant le goût baroque, grottes, niches à statues et décors de coquillages complètent l'ensemble, dont les contrastes pourraient choquer si le temps ne les avait adoucis de sa patine.

Au cours des xviiie et xixe siècles l'horticulture a subi deux grandes influences... Le parterre de broderie français, avec ses dessins compliqués et l'utilisation de quantité de fleurs annuelles et multicolores, changea radicalement l'aspect des jardins d'autrefois. De son côté le « parc anglais » mit fin à la mode des jardins conventionnels. Néanmoins ces deux influences étrangères ne purent détruire ce qui constitue la base de l'horticulture italienne : l'art d'éterniser l'effet de beauté tout au long des quatre saisons, grâce à ces éléments permanents que sont les arbres à feuillage persistant, les escaliers de pierre, les balustrades, les statues et toute la gamme des décors aquatiques.

Le jardin italien conserva toujours ses larges espaces d'une part, ses retraites privées de l'autre. C'est dire qu'il reste un lieu de beauté et de plaisir durant toute l'année.

Planches

84. Cyprès dans les jardins de la villa d'Este. Dessin de Fragonard datant de l'été 1760. (*Albertina Collection, Vienne.*)

85. La fontaine ovale de la villa d'Este, à Tivoli. On peut circuler sous la cascade sans se mouiller. (*Alinari.*)

86. L'allée des Cent Fontaines, féerie d'eau et de verdure. Les fleurs de lis et les aigles de pierre sont dans les armes de la famille d'Este. (*Alinari.*)

87. Vue de la villa d'Este. (*Alinari.*)

88. La villa d'Este vue à travers le *rondello* de cyprès géants. Sur le sol, socles où s'élevaient des statues de Piranesi.

89. Le jardin de la villa Lante et la fameuse fontaine des Lampes. (*Anderson.*)

90-91. Terrasse et jardin du château de Caprarola. De la loggia supérieure on a une vue splendide sur la campagne alentour. (*Anderson.*)

92-93-94. Dans le jardin de la villa Orsini, à Bomarzo, on peut voir de fantastiques créatures de pierre. (*Touring Club italien, Milan.*)

95. L'une des deux fontaines qui décorent les terrasses dominant les grands escaliers de la villa Aldobrandini. De ces hauteurs la vue s'étend sur la campagne romaine. (*Anderson.*)

96. La fontaine d'Atlas et l'escalier d'eau de la villa Aldobrandini, à Frascati. (*Anderson.*)

97. Jardin de la villa Garzoni, à Collodi. (*Touring Club italien, Milan.*)

98. Isola Bella. Cette île, aux jardins typiques du XVIIe siècle, est l'un des joyaux du lac Majeur. (*Alinari.*)

99. Le théâtre d'eau d'Isola Bella est crêté d'une licorne, emblème de la famille Borromée. (*Alinari.*)

100. Les jardins de la villa Pietra, à Florence, sont un condensé des trésors de l'art horticole italien. (*Azienda Autonoma di Turismo, Italie.*)

101. Le théâtre de verdure de la villa Marlia, près de Lucques. Ses comédiens de pierre représentent les personnages principaux de la pantomime italienne : Colombine, Pantalon et Polichinelle. (*Alinari.*)

102. Dans les jardins de la villa Marlia, de grandes haies séparent les différentes cours, dont chacune a son caractère propre. Commencés au début du XXIe siècle, ces jardins appartenaient autrefois à Elisa, la sœur de Napoléon, lorsqu'elle était grande-duchesse de Toscane. (*Alinari.*)

85

86

87 88

90

91

92

93

94

98

99

100

101

VIII
La Splendeur Française

Les mots « jardins français » évoquent immédiatement Versailles et les splendeurs de la cour de Louis XIV. Avant et après le long règne du Roi Soleil (de 1643 à 1715), la noblesse et les princes de l'Église se firent construire de grands châteaux entourés de magnifiques jardins. Mais, durant son règne, comme durant celui de François Ier, les nobles avaient tout avantage à vivre à la cour pour obtenir la faveur royale. Bien entendu, en leur absence, leurs propriétés, mal entretenues, perdaient vite leur éclat. En revanche, les demeures du roi éblouissaient.

Les jardins de Versailles, conçus et créés par le prestigieux André Le Nôtre, sont le résultat de cent cinquante ans d'évolution dans les traditions françaises. Ce n'est que peu à peu que la science des jardins s'éloigna du médiéval gothique pour assimiler la Renaissance italienne et adapter le jardin italien à un sol relativement plat.

Dans la seconde moitié du xve siècle, la France rompit avec le système féodal pour devenir monarchie absolue. Après la guerre de Cent Ans, notre pays retrouva une certaine unité. Puis Charles VIII, qui régna de 1483 à 1498, résolut de pénétrer en Italie pour y revendiquer le royaume de Naples. Sa tentative ne fut pas couronnée de succès. Cette campagne avait cependant prouvé que l'Italie valait la peine d'être conquise. Louis XII et François Ier s'en persuadèrent si bien par la suite qu'eux aussi allèrent y guerroyer.

Au cours de leurs incursions dans la péninsule, les Français admirèrent beaucoup les merveilles artistiques de l'Italie et, en particulier, la beauté de ses jardins d'agrément. Les rois de France se rendirent compte que des arbres toujours verts, associés à des

103. Tapisserie flamande du xvie siècle. On y voit le roi de France Henri III, fils de Catherine de Médicis, assistant, en compagnie de son épouse, Louise de Lorraine, à une fête aquatique sur le Cher, devant le château de Chenonceaux. (*Alinari.*)

fontaines et à de belles statues, pouvaient modifier avantageusement leurs résidences personnelles.

Les premières graines de la Renaissance italienne furent semées en France lorsque Charles VIII revint de Naples avec des peintures, des sculptures et bien d'autres trésors... y compris vingt-deux artistes italiens qu'il chargea d'embellir le château d'Amboise.

Après lui, Louis XII transporta sa cour à Blois, où le jardinier italien Pacello di Mercogliano conçut un groupe particulièrement impressionnant de jardins, composé de trois vastes terrasses. Le château lui-même étant isolé par des douves, les jardins durent lui être reliés par un pont. Ces jardins comportaient des massifs géométriques. Celui dit « de la Reine » s'ornait de galeries treillagées, d'une chapelle octogonale, d'une orangerie, d'un potager, d'un pavillon et d'une fontaine de marbre.

Transition intéressante entre le Moyen Age et la Renaissance, la plupart des châteaux conservaient leurs douves protectrices, bien qu'elles fussent devenues inutiles. Mais ces fossés reflétaient joliment les tourelles et les nuages. A l'occasion, on leur adjoignit même des lacs artificiels et des canaux.

François Ier, qui monta sur le trône en 1515 et mourut en 1547, s'intéressait davantage à la littérature, à la peinture et à l'architecture qu'à l'horticulture. Comme Charles VIII, il revint d'Italie avec une suite d'artistes, dont le génial Léonard de Vinci. Bâtisseur enthousiaste, François Ier fit agrandir le château de Blois en y ajoutant une aile dotée d'arcades à l'italienne. Puis il fit construire un palais de rêve à Chambord et un autre château à Fontainebleau, sur l'emplacement d'un ancien pavillon de chasse. De ces trois résidences seule la dernière a des jardins vraiment remarquables. On trouve

Le château de Blois, d'après le plan de Jacques Androuet Du Cerceau [1].

BLOYS

ELEVATION DV BASTIMENT ET JARDINS
DV COSTE DE LENTREE
ELEVATIO ÆDIFICII ET HORTORVM
INGRESSVM SPECTANTIVM

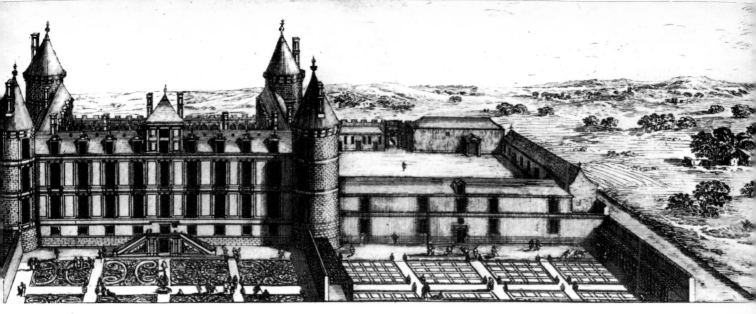

Au château de Bury, jardin d'agrément et potager sont nettement séparés. *(New York Public Library.)*

là une grande pièce d'eau, pleine de carpes, à l'endroit où s'étalait jadis un marécage. Au-dessous du célèbre jardin des Pins on en trouvait un autre, divisé en carrés d'herbes et de fleurs aux dessins compliqués. Un autre jardin tarabiscoté, avec une fontaine ornée d'une statue de Diane au centre, fut créé au nord du château et entouré de trois côtés par un fossé.

Détail inattendu : une grotte rustique qui s'élevait à une extrémité du jardin des Pins. Cette survivance de l'ancien *nymphaeum* est typique de la Renaissance en Italie. Adoptée en France, la grotte finit par devenir un élément décoratif habituel. Elle fit fureur sous Louis XIV et durant la période romantique du XIXe siècle. Certaines étaient faites de rocs et d'arbres, avec des trouées pour apercevoir le ciel, mais, dans les derniers temps, elles étaient très surchargées et ornées de coquillages.

Actuellement, le plus typique des châteaux du XVIe siècle est celui de Villandry, près de Tours. Il remplace un château plus ancien dont le donjon subsiste seul. Du corps central se détachent deux longues ailes qui encadrent la cour. L'ensemble, imposant, est adouci par de magnifiques jardins répartis en trois terrasses bordées d'un fossé et de vigne. On y trouve une belle pièce d'eau. La terrasse du milieu est entièrement faite de buis taillé en dessins compliqués encerclant des massifs de fleurs. Il s'agit d'un jardin d'Amour, d'inspiration gothique, constitué par quatre compartiments symbolisant l'amour tendre, l'amour tragique, l'amour volage et l'amour fou.

On trouve également à Villandry un vaste potager où poussent à peu près tous les légumes et aussi beaucoup d'arbres fruitiers. Les jardins de Villandry sont uniques en France et comptent parmi les plus remarquables d'Europe. Tous les amateurs de jardins se doivent de les visiter.

Si nous nous reportons aux gravures du XVIe et du XVIIe siècle, le jardin d'agrément était toujours nettement séparé du jardin utilitaire. Au château de Bury, le premier se trouvait juste devant la façade, alors que le potager se dissimulait derrière un treillis, non loin des écuries. De plus en plus les châteaux Renaissance adoptèrent la coutume italienne de s'adjoindre des jardins dessinés avec symétrie, des pièces d'eau et des bouquets d'arbres.

159

Planches

104. Vue des jardins de Villandry, dans la vallée de la Loire. Magnifiquement reconstitués, ces jardins comportent trois terrasses. On aperçoit au premier plan la moitié du symbolique jardin d'Amour, en bordures de buis, d'inspiration gothique. Au fond, le potager. *(Edwin Smith.)*

105. Versailles. Le bassin de Latone et le tapis vert. *(Rapho-Guillumette.)*

106. La roseraie de Bagatelle, à Paris. Le kiosque, où aimait se reposer l'impératrice Eugénie, domine cette partie du jardin. *(Edwin Smith.)*

104

Le château médiéval de Verneuil fut remis au goût du jour à la fin du XVIᵉ siècle : ses parterres de fleurs (appelés « parquets » par Androuet Du Cerceau), ses bouquets d'arbres et ses bassins décoratifs furent répartis symétriquement et de façon si harmonieuse qu'ils prolongeaient en quelque sorte les lignes architecturales des bâtiments. Des fossés, rappelant les douves du Moyen Age, devinrent l'ornement principal dans la partie basse du jardin. Il y eut également deux potagers et un vignoble.

Le château d'Anet, bâti à la fin du règne de François Iᵉʳ par Philibert de l'Orme pour Diane de Poitiers, possédait un vaste jardin rectangulaire, entouré de galeries, qui s'étendait derrière le corps du logis. Les sculptures de Jean Goujon et les fontaines (dont une de Diane chasseresse due au ciseau de Benvenuto Cellini) faisaient d'Anet un endroit « réunissant toutes les perfections », si l'on en croit Androuet Du Cerceau. Par malheur, cette magnifique demeure a été presque entièrement démolie au cours de la Révolution. Il n'en subsiste aujourd'hui qu'une aile, la porte d'entrée et la chapelle, où Jean Goujon a sculpté d'admirables bas-reliefs.

Plus encore qu'Anet, peut-être, nous associons le nom de Chenonceaux à celui de Diane de Poitiers. Bien que de vingt ans plus âgée que Henri II, Diane avait été choisie pour être sa maîtresse en titre... par François Iᵉʳ lui-même. Henri II fit don du château à la belle favorite, dont la grâce s'accommodait fort bien du ravissant décor.

Chenonceaux avait primitivement été construit au-dessus d'un ancien moulin sur le Cher. Diane de Poitiers s'employa à l'embellir et, pour commencer, fit jeter un pont rattachant le château à la rive opposée. Sur cette rive, un grand jardin — qui, hélas! n'existe plus — fut agencé de la plus romantique des manières. Un autre jardin, connu sous le nom de jardin de Diane, fut aménagé au bord de l'eau, à gauche de l'entrée principale du château. Il consiste en une grande plate-forme de terre extraite des fossés environnants, protégée par des contreforts de pierre. Ses terrasses permettent d'admirer encore de nos jours un dessin compliqué de sentiers parmi les fleurs et les arbres taillés. Peut-être autrefois existait-il là une tonnelle de verdure; ce jardin manque en effet d'ombre.

Après la mort de Henri II, sa veuve, Catherine de Médicis, qui avait toujours guigné Chenonceaux, obligea Diane à l'échanger contre Chaumont. En possession du château convoité, Catherine travailla à son tour à l'embellir. Elle fit tracer un autre jardin à droite de la cour d'entrée et créa un parc. Mieux encore, elle eut l'idée géniale d'édifier une galerie à deux étages sur le pont. Aujourd'hui, lorsque nous voyons cette longue galerie se refléter dans les eaux calmes, nous ne pouvons nous empêcher d'évoquer tous les grands personnages qui hantèrent ces lieux où se déroulèrent tant de joyeuses fêtes ou de sombres drames.

La rive la plus riante du Cher servait de cadre à des festins et à des bals. Sur les eaux se livraient de pseudo-batailles navales. On y tirait aussi des feux d'artifice. Une fois même, toutes les dames de la cour, déguisées en naïades, mimèrent une fuite devant de polissons satyres pour être ensuite sauvées par de galants cavaliers.

Pendant le règne de Henri III, au cours d'un festin, « les plus belles et les plus vertueuses nobles dames parurent à demi nues, leurs cheveux dénoués, telles de jeunes épousées » et servirent les invités avec les filles de la reine.

En 1564, Philibert de l'Orme construisit le palais des Tuileries pour Catherine, à

En haut : l'une des grandes attractions de Saint-Germain-en-Laye était la grotte fantastique, composée de coquillages, dessinée par les frères Francini, et dans laquelle on pouvait voir la représentation d'une femme jouant d'un orgue à eau. Gravure d'Abraham Bosse, 1624. (*New York Public Library.*)

En bas : plan des jardins en terrasse de Saint-Germain-en-Laye. Ces jardins surplombent la Seine, qui coule au pied de la rangée d'arbres limitant le bas de la gravure. (*Larousse.*)

proximité du palais du Louvre, à l'endroit où s'étendent actuellement les vastes jardins des Tuileries, derrière l'arc de triomphe du Carrousel, sur la rive droite de la Seine.

Ces lieux tirent leur nom du fait qu'autrefois des tuiliers et des potiers étaient installés là. Les jardins qu'y fit tracer Catherine n'avaient rien d'extraordinaire. En revanche, les grottes artificielles qu'on y trouvait étaient absolument remarquables. En effet, elles étaient l'œuvre du maître Bernard Palissy. L'artiste avait un atelier dans le sous-sol même du château. Par malheur, nous ne possédons pas de description de ses œuvres aux Tuileries, à l'exception d'une seule... Il s'agissait d'une pièce d'eau souterraine contenant des reproductions très réalistes de poissons, de reptiles, de coraux, d'algues, de cailloux et de mousses. Comme couleurs, Palissy utilisait des bleus et des violets profonds, du vert sombre, du jaune pâle et un brun chaud qui rappelait celui d'une carapace de tortue. Au-dessous des eaux jaillissantes crachées par des animaux sur le bord, les créatures au fond du bassin paraissaient véritablement douées de vie. L'effet était encore souligné par les murs et les plafonds de verre translucide. Si cette œuvre de Bernard Palissy était parvenue jusqu'à nous, sa valeur aurait été inestimable. Aujourd'hui en effet la plus petite pièce sortie de ses mains est considérée comme un trésor que s'arrachent les musées et les collectionneurs. Ses émaux et ses céramiques ont pu être imités, ils ne seront jamais dépassés.

Hélas! les grottes des Tuileries disparurent lorsque Henri IV (couronné en 1589, mort en 1610) transforma les jardins qui n'étaient ni de son goût ni de celui de la reine, Marie de Médicis.

Les changements ne se limitèrent pas aux Tuileries. Henri IV et Marie de Médicis apportèrent des modifications à tous les palais royaux. Les nouveaux jardins de Saint-Germain-en-Laye et de Fontainebleau furent marqués par l'inspiration italienne. Des transformations savantes, bien françaises celles-ci, dotèrent les jardins des Tuileries de parterres aux dessins végétaux compliqués. Marie, après la mort de Henri, fit construire le palais du Luxembourg, dont elle orna les jardins de parterres semblables.

Le palais de Saint-Germain-en-Laye se composait de deux corps de bâtiment. François Ier fit construire le château tel que nous le voyons aujourd'hui. Pierre Chambiges éleva en 1539 cet édifice de brique et de pierre dont le style Renaissance conserve encore des éléments gothiques. Plus tard, Henri II fit ajouter un nouveau bâtiment presque en bordure de la Seine. Les nouveaux jardins conçus sous Henri IV descendaient en terrasse jusqu'au fleuve. Ces jardins ressemblaient beaucoup à ceux de la villa d'Este à Tivoli avec leurs allées en diagonale et leurs escaliers pour passer d'une terrasse à l'autre. Travaillèrent à leur réalisation deux Italiens, les frères Francini, un architecte français d'inspiration italienne, Du Pérac, et le célèbre jardinier du roi Claude Mollet. Les fontaines et les bassins sont principalement dus aux premiers. On trouvait également dans ces jardins d'agréables bosquets, de remarquables « carreaux » aux dessins aussi compliqués que des boiseries sculptées, et aussi des curiosités, entre autres des grottes décorées de coquillages. Dans l'une d'elles on voyait une femme jouant de l'orgue, un Mercure soufflant dans une trompette, un dragon battant des ailes et des rossignols chantant et battant des ailes.

Les jardins de Fontainebleau, eux aussi, furent transformés. On déplaça des statues. Entre autres modifications il convient de signaler la création d'un immense jardin de

Planches

107. Miniature du XVIᵉ siècle représentant Henri, roi de Navarre, cueillant une marguerite pour Marguerite de Valois. *(Bibliothèque nationale.)*

108. Les quatre parties du jardin d'Amour de Villandry symbolisent l'amour tendre (cœurs et flammes), l'amour tragique (dagues et glaives), l'amour léger ou frivole (papillons et lettres d'amour) et l'amour fou (cœurs tournoyants).

109. Le château de Villandry, avec ses buis taillés et son potager. Le jardin d'Amour, aux quatre parties égales, est situé derrière le château. *(Commissariat général au tourisme.)*

110. Vaux-le-Vicomte. Son parterre de broderie a été reconstitué avec une surprenante habileté, à la fin du siècle dernier, par Henri Duchêne. Parmi les matériaux utilisés, tant végétaux que minéraux, signalons le buis, la brique pilée, la terre noire et le sable blond. Les bordures de fin gazon rehaussent la beauté et la délicatesse du dessin. *(Art pictural.)*

111. Les jardins des deux châtelaines rivales de Chenonceaux, Diane de Poitiers et Catherine de Médicis, flanquent la cour d'honneur. *(Conservateur du château de Chenonceaux.)*

112. Les arabesques de ce parterre de broderie du XVIIᵉ siècle embellissent le jardin restauré de Diane de Poitiers, à Chenonceaux. *(Commissariat général au tourisme.)*

168

Inueni vnam preciosam
margaritam quam inti
mo corde collegi :⸻

Jardin d'Amour
Villandry

108

109

110

111

112

fleurs pris sur les pelouses et sur le potager. Par bonheur, en raison de l'ombre qu'elles donnaient, on ne toucha pas aux allées de pins qui dataient de François Ier. On leur adjoignit même des tunnels de verdure.

Fontainebleau fut encore transformé par la suite, car Louis XIV et Napoléon Ier y laissèrent eux aussi leur empreinte. Sous le règne du Roi Soleil les dessins du grand parterre s'enrichirent des initiales du souverain et de la reine, L et M, taillées dans le buis. Le canal fut comblé, et on en creusa un autre plus bas. Le jardin de Diane devint le jardin de l'Orangerie, et la volière créée par Henri IV fut transformée en serre. Le nouveau canal, œuvre de Le Nôtre, ajouta beaucoup à la majesté du site. Il était dominé par une cascade jaillie des murs supportant le parterre.

Un nouveau pas en avant vers les jardins dessinés à la française fut fait lorsque, aux Tuileries, ont remplaça les anciens « carrés » par des parterres de broderie. Le style géométrique commençait à devenir ennuyeux, et on lui préféra la grâce des lignes courbes. Comme ces nouvelles formes avaient avantage à être vues de haut, on les créa à ras de terre. Arabesques compliquées et dessins déliés furent obtenus à partir de buis nain dit « buis à bordure » (connu en France à la fin du XVIe siècle).

Par ailleurs, la couleur ne fut plus seulement fournie par les fleurs; on utilisa de la brique pilée, de l'argile, du sable et autres matériaux pour combler les espaces vides. La finesse des dessins rappela alors beaucoup la plus délicate des broderies. En ce domaine l'art horticole s'apparente également à l'orfèvrerie, à la décoration sur tissus, à la tapisserie et même à la céramique.

Pour ces chefs-d'œuvre au ras du sol, on employait exclusivement de courtes fleurettes, qui constituaient le gros du dessin. Les grandes fleurs étaient plantées ailleurs, généralement en abondance, et destinées à être cueillies.

L'asymétrie des créations curvilignes nécessitait plusieurs panneaux pour la formation d'un ensemble harmonieux. Le jardin ressemblait alors à « un simple et unique parterre coupé de larges allées. »

Claude Mollet, jardinier en chef du roi, fut chargé d'exécuter le plan savant que Jacques Boyceau avait tracé pour les Tuileries. C'est à partir de cette époque que les jardins d'agrément se parèrent du fameux parterre de broderie.

Henri IV, premier de la dynastie des Bourbons, commençait à régner quand une autre dynastie — celle des Mollet — se spécialisa dans l'horticulture. Jacques Mollet était jardinier en chef au château d'Anet. Claude, son fils, commença à travailler pour son auguste maître à Saint-Germain-en-Laye et à Fontainebleau. Puis il fut nommé jardinier des Tuileries en 1599.

Par la suite, Louis XIII employa son talent à Versailles. André, le fils de Claude, devint à son tour jardinier en chef de la reine de Suède. Puis il passa quelques années en Angleterre, où Charles II lui confia les jardins de Hampton Court, près de Londres.

La famille Mollet a légué à la postérité deux ouvrages importants sur l'art des jardins. *Le Théâtre des plants et jardinages* est une œuvre posthume de Claude (publiée en 1652). *Le Jardin de plaisir*, d'André Mollet, fut publié en 1651. Ces livres, avec ceux de Boyceau et d'Olivier de Serres, nous apprennent ce que fut l'art horticole au XVIIe siècle. *Le Traité du jardinage,* de Jacques Boyceau, parut en 1638 (après sa mort) et *le Théâtre d'agriculture,* d'Olivier de Serres, fut publié en 1600.

Extraordinaire série de personnages et d'animaux taillés dans des arbustes à feuillage persistant. Jardin

Les parterres de broderie étaient souvent mis en valeur par un décor de hautes haies taillées, de murs revêtus de lattis, d'arcades et de tonnelles. Ces accessoires n'étaient pas forcément destinés à supporter de la vigne ou des roses; c'étaient de purs ornements architecturaux, trop compliqués sans doute pour avoir une longue vogue, mais importants tout de même en tant que caractéristiques du jardin d'agrément au XVIIe siècle.

Selon Claude Mollet, chaque jardin devait avoir un parterre, des pelouses et des bosquets coupés d'allées entrecroisées. Il était également essentiel, à son avis, d'y trouver de longues avenues d'arbres, disposées en patte d'oie et menant à un parc ou à une chasse en forêt.

Il nous est facile d'imaginer ces immenses jardins, hantés par les rois et leur cour. Nobles seigneurs et gentes dames n'avaient rien de mieux à faire que d'y déambuler sous les frais ombrages, bavarder, intriguer, conter (ou se laisser conter) fleurette. Des gravures de l'époque nous montrent ces jardins également pleins d'activités utiles : des jardiniers cisèlent des parterres de buis, taillent des haies, étalent du gravier dans les allées, arrachent les mauvaises herbes, transplantent des fleurs, disposent des orangers dans des caisses, peignent des « berceaux de treillage » ou des treillis et, bien entendu, arrosent tant et plus.

La mode du buis taillé à outrance pour reproduire les formes les plus fantastiques se perdit au fur et à mesure que les jardins s'agrandissaient. Au XVIIIe siècle, « sculpter le buis » devint franchement « vieux jeu ». Il semblait désormais absurde de torturer

Les quatre principaux types de parterres d'Alexandre Le Blond. Les bordures et les espaces sombres à l'intérieur du dessin correspondaient à de la terre noire. Certaines parties devaient être garnies soit de brique pilée, soit de tuiles broyées, soit de limaille de fer. D'autres espaces recevaient du gazon. Enfin, çà et là, des taches lumineuses étaient fournies par du sable clair. (Bibliothèque Pierpont Morgan.)

de Marimont. Gravure d'Israël Silvestre, 1673.

des plantes pour façonner des animaux, des personnages, des oiseaux ou des navires. De telles puérilités s'accordaient mal avec la majesté et la grandeur de l'époque.

Certes, Bernard Palissy et Olivier de Serres avaient décrit avec force louanges des chefs-d'œuvre en buis taillé qu'ils avaient admirés. Cependant, en 1728, Alexandre Le Blond écrivait : « Maintenant, plus personne en France ne donne dans semblables enfantillages. »

Autre nouveauté, les fleurs, jusqu'alors ornement principal des jardins de châteaux, jouèrent soudain un rôle mineur dans la décoration des broderies. Elles étaient utilisées en bordures et comblaient certains espaces du parterre. Mais on prit l'habitude de planter à part les fleurs à longues tiges, dans des jardins spéciaux. Ces jardins, parfois appelés parterres fleuristes, groupaient non seulement les fleurs déjà connues, mais des plantes nouvelles importées d'Asie Mineure et d'autres lointains pays.

La collection de gravures de fleurs de Pierre Vallet, appelée *le Jardin du Roy Très Chrestien Henri IV,* nous permet de savoir avec exactitude ce qui poussait dans un jardin de fleurs royal en 1608 et ce qu'on continua à y planter les années suivantes. Parmi les plantes à bulbe, à rhyzomes et à tubercules, citons l'iris, la couronne impériale *(Fritillaria imperialis),* les tulipes, les jacinthes, les crocus, le colchique, l'ornithogale, les jonquilles, les narcisses et les lis martagons. A côté de ces fleurs on pouvait également admirer des cyclamens, des anémones, des renoncules, des digitales, des campanules, des primevères, des oreilles-d'ours, des pivoines, des œillets, des bleuets, des coquelicots, des aconits, des pélargoniums, des gueules-de-loup et des roses de Noël *(Helleborus*

niger). Il y avait évidemment aussi quantité de roses : les Français aimaient et cultivaient les roses de Damas, les *Gallica* et la rose à cent feuilles *(Rosa centifolia)*.

Lorsque le jardin floral eut été nettement séparé de l'autre, la création du parterre prit quatre formes différentes. Toutes sont décrites avec soin par Alexandre Le Blond dans son ouvrage *Théorie et pratique du jardinage*. On distingue en gros le parterre de broderie, le parterre à compartiments, le parterre à l'anglaise et le parterre à motifs décoratifs réguliers.

Selon Le Blond, le parterre de broderie devait, étant le plus beau, trôner à la place d'honneur, près du château. Presque au ras du sol, le buis imitait de la broderie, parfois accompagné de nœuds et d'arabesques de fin gazon. Dans un jardin de ce genre, les

A GAUCHE : des lattis à effet décoratif ornaient souvent les jardins français du XVIIIe siècle. *(Metropolitan Museum of Art, Rogers Fund, 1920.)*

A DROITE : le jardin de fleurs ou « bouquetier », à Liencourt, parmi les nombreux autres jardins particuliers qui ornaient cette aristocratique résidence. *(New York Public Library.)*

espaces entre les éléments du dessin étaient comblés par du sable, de la terre noire, de la poussière de brique ou de la limaille de fer. Les dessins eux-mêmes étaient asymétriques et d'une délicatesse infinie.

Le parterre à compartiments était d'un dessin symétrique et reproduisait le même motif dans ses deux moitiés. Lui aussi était constitué par du buis formant des arabesques et des terres de couleur pour souligner le dessin. Quelques fleurs aussi entraient dans sa composition, mais pour les bordures seulement.

Le parterre à l'anglaise, lui, était tout simple. Imaginez une vaste pelouse au dessin dépouillé à l'extrême, sans la moindre complication, avec des bordures de fleurs, des sentiers sablés et, parfois, des caisses d'orangers disposées au ras du parterre.

La quatrième sorte de parterre était réservée aux fleurs. Les plates-bandes étaient bordées de buis. Dans la composition du dessin n'entrait ni gazon ni broderie. Des sentiers sablés coupaient les motifs floraux, permettant de circuler à l'intérieur du parterre « sans rien déranger ».

En dehors des parterres, Alexandre Le Blond s'intéressait aux multiples utilisations de l'eau, qu'il considérait comme « l'âme des jardins » et leur ornement principal. Sans eau, « le cadre demeure terne et plein de mélancolie ».

En France, ce n'était pas une petite affaire que de se procurer l'eau indispensable pour arroser ou animer les jardins. A ce point de vue, l'Italie était mieux pourvue avec ses innombrables cours d'eau dégringolant des collines. Dans notre pays, il fallut utiliser des réservoirs, des pompes et des kilomètres de tuyaux souterrains pour amener le précieux liquide à pied d'œuvre. Certaines pompes fonctionnaient à la main. D'autres

étaient actionnées par des chevaux. Mais on leur préférait en général des moulins à vent ou à eau qui avaient l'avantage de fournir un travail continu. Ce problème de l'arrosage et des fontaines était en fait si complexe qu'à Versailles même on ne le résolut jamais entièrement.

Et puisque nous voici revenus à Versailles, parlons du Versailles de Louis XIV et de l'œuvre magistrale qu'y accomplit Le Nôtre (1613-1700). La création du « grand Versailles » a certainement pour point de départ la tragique aventure de Nicolas Fouquet, dont le château de Vaux-le-Vicomte fit pâlir d'envie le Roi Soleil.

Après la mort du cardinal de Mazarin, Fouquet, alors surintendant des Finances, caressait l'espoir de lui succéder comme Premier ministre. Ambitieux et plein de magnificence, il se fit construire à Vaux un château splendide qu'entouraient des jardins de toute beauté. En moins de cinq ans, le domaine, terminé, acquit une réputation de

Quatre gravures d'Israël Silvestre relatives à une fête donnée par Louis XIV à Versailles : *les Plaisirs de l'île enchantée*. En haut, a gauche : les réjouissances commencèrent par une « course à la bague ». On voit le roi faisant étalage de ses talents équestres. En haut, a droite : un festin soigné couronna la première journée des festivités. En bas, a gauche : un cadre gigantesque, disposé entre les arbres d'une allée, formait l'avant-scène d'un théâtre en plein air. On y joua une comédie de Molière et l'on y dansa un ballet. En bas, a droite : la grande pièce d'eau, au début du grand canal, servit de décor à un ballet le troisième jour de la fête.

En face : plan de Versailles gravé par Lepautre, 1714. En comparant la surface occupée par le château et celle couverte par les jardins, on apprécie les vastes dimensions de ces derniers. (*New York Public Library.*)

splendeur extraordinaire. C'est alors que Fouquet commit une lourde faute. Désireux d'éblouir le roi — qui ne l'avait pas nommé ministre pour la bonne raison que Sa Majesté se servait de ministre à elle-même — le surintendant invita son souverain à assister à une fête à grand spectacle dans sa somptueuse propriété. Le roi ne daigna pas se rendre en personne à l'invitation, mais Monsieur et Madame y répondirent. La description qu'ils firent par la suite à Louis XIV de ce qu'ils avaient vu éveilla la curiosité du monarque. Aussi, le 17 août 1661, ayant reçu une deuxième invitation pour Vaux, s'y transporta-t-il avec des milliers de nobles. La réception fut d'une telle magnificence que le roi, plein de colère et d'envie, se mit incontinent à tramer deux choses : la perte de l'impudent Fouquet... et la création du château de Versailles, qui devait éclipser de loin celui de Vaux.

Fouquet, cependant, était doté d'un goût très sûr. Il s'y connaissait en art, et particulièrement en architecture. Avec cela il possédait une âme d'organisateur. Aussi, quand il fit bâtir Vaux, eut-il grand soin de s'entourer d'artistes célèbres dans leur spécialité. Il prit Louis Le Vau comme architecte, Charles Le Brun comme peintre et décorateur, et demanda à André Le Nôtre de dessiner ses jardins.

Le Nôtre avait déjà fait ses preuves aux côtés de son père dans les jardins royaux des Tuileries. Il avait appris la géométrie, le dessin et l'architecture. Avant d'être appelé à Vaux, il avait mené à bien d'autres ouvrages qui lui avaient valu une certaine notoriété. Mais c'est en travaillant pour Fouquet que son talent se révéla véritablement et qu'il lança son style personnel.

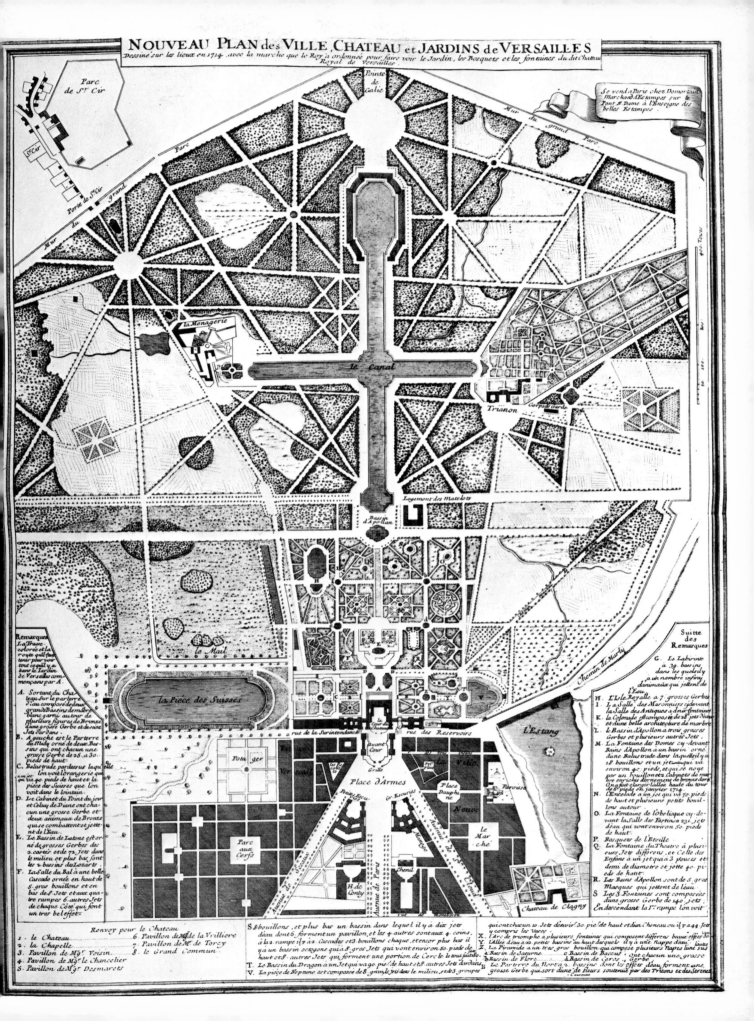

NOUVEAU PLAN des VILLE CHATEAU et JARDINS de VERSAILLES

Dessiné sur les lieux en 1714, avec la marche que le Roy a ordonnée pour faire voir le Jardin, les Bosquets et les fontaines du dit Chateau Royal de Versailles

Se vend a Paris chez Demortain Marchand d'Estampes sur le Pont N. Dame à l'Enseigne des belles Estampes.

Parc de St Cir

Pointe de Galie

Mur du Grand Parc

la Menagerie

le Canal

Trianon

Corps de garde

Logement des Matelots

Bassin d'Apollon

le Mail

la Piece des Suisses

rue de la Surintendance — rue des Reservoirs

Potager

Avant Cour

Grille

Place d'Armes

Place Dauphine

Parc aux Cerfs

Neuve

le Marché

Chenil

H. de Conty

Chateau de Clagny

L'Estang

Chemin de Marly

Remarques

La Trasse coloriée et la route qui l'on tient pour voir tout ce qui est dans le Jardin de Versailles commençant par A.

A. Sortant du Chateau sur le parterre d'eau composé de deux grands bassins de marbre blanc garni autour de plusieurs figures de Bronze d'une grosse Gerbe et de seize Jets d'eau dans.

B. A gauche est le Parterre du Midy orné de deux Bassins qui ont chacun une grosse Gerbe de 25 à 30 pieds de haut.

C. Balustrade par dessus laquelle l'on voit l'orangerie qui a 40 pieds de haut et la piece des Suisses que l'on voit dans le lointain.

D. Le Cabinet du Point du jour et Celuy de Diane ont chacun une grosse Gerbe et deux animaux de Bronze qui se combattent et jettent de l'Eau.

E. Le Bassin de Latone est orné de grosses Gerbes des 5 cornes et de 72 Jets dans le milieu et plus bas sont les 2 bassins du Lezart.

F. La Salle du Bal a une belle Cascade ornée en haut de 5 gros bouillons et en bas de 8 Jets et aux quatre rampes 6 autres Jets de chaque Côté qui font un très bel effet.

Suitte des Remarques

G. Le Labirinte a 39 bassins dans lesquels y a un nombre infiny d'animaux qui jettent de l'Eau.

H. L'Isle Royalle a 7 grosses Gerbes

I. La Salle des Maronniers cidevant la Salle des Antiques a deux fontaines.

K. La Colonade est composé de 28 jets d'eau et d'une belle architecture de marbre.

L. Le Bassin d'Apollon a trois grosses Gerbes et plusieurs autres Jets.

M. La Fontaine des Domes cy devant Bains d'Apollon a un bassin orné d'une Balustrade dans laquelle il y a 18 bouillons et un jet unique va environ 40 pieds, et qui se noye par un bouillon et 2 Cabinets de marbre enrichi d'ornemens de bronze doré. On a fait elargir l'allée haute du tour de 60 pieds en janvier 1714.

N. L'Enceelade a un jet qui va 70 pieds de haut et plusieurs petits bouillons autour.

O. La Fontaine de l'obelisque cy devant la Salle des Festins a 231 jets d'eau qui vont environ 80 pieds de haut.

P. Basquets de l'Etoile.

Q. La Fontaine du Theatre a plusieurs Jets differens, et Celle des Enfans a un jet qui a 3 pouces et demi de diametre et jette 40 pieds de haut.

R. Les Bains d'Apollon sont de 8 grosses Marques qui jettent de l'eau.

S. Les 3 Fontaines sont composées d'une grosse Gerbe de 140 jets. En descendant la 1re rampe l'on voit

8 bouillons, et plus bas un bassin dans lequel il y a dix jets d'eau dont 6 forment un pavillon, et les 4 autres sont aux 4 coins, à la 2 rampe il y a 2 Cascades et 3 bouillons chaque, et encor plus bas il y a un bassin octogone qui a 8 gros Jets qui vont environ 80 pieds de haut et 8 autres Jets qui forment une portion de Cercle le tout suite

T. Le Bassin du Dragon a un Jet qui va 90 pieds de haut et 8 autres Jets d'ardans.

V. La piece de Neptune est composée de 8 grands jets dans le milieu, et de 3 groupes

qui ont chacun 10 Jets de environ 30 pieds de haut et d'un Choneau ou il y a 44 Jets y compris les Vares.

X. L'Arc de triomphe a plusieurs fontaines qui composent differens beaux effets de.

Y. L'Allée d'eau a 22 petits bassins au haut duquel il y a une Nappe d'eau.

Z. La Piramide a un très gros bouillon qui compose plusieurs Napes l'une sus l'autre.

1. Bassin de Saturne
2. Bassin de Bacus
3. Bassin de Flore
4. Bassin de Cerés

Le Parterre du Nord a 2 bassins dont les effets d'eau forment une grosse Gerbe qui sort d'une de fleurs soutenuë par des Tritons et des Serenes

Renvoy pour le Chateau

1. le Chateau
2. la Chapelle
3. Pavillon de Mgr Voisin
4. Pavillon de Mgr le Chancelier
5. Pavillon de Mgr Desmarets
6. Pavillon de Mgr de la Vrilliere
7. Pavillon de Mr de Torcy
8. le Grand Commun

Planches

113. Plan de Jacques Androuet Du Cerceau représentant le château de Fontainebleau. On y voit les jardins créés par François Ier. *(Larousse.)*

114. Cette vue aérienne de Fontainebleau révèle à quel point l'ancien parterre a été simplifié. *(Conservateur de Fontainebleau.)*

115. Illumination des fontaines du bassin d'Apollon, à Versailles. *(Commissariat général au tourisme.)*

116. Versailles, peint en 1668 par Pierre Patel, avant que Louis XIV n'en fasse sa résidence officielle. Le corps du logis central — flanqué de deux ailes par la suite — était l'ancien pavillon de chasse de son père. La vue générale n'a guère changé jusqu'à nos jours. *(Giraudon.)*

117. Le parterre du Midi, au-dessus de l'Orangerie, est le seul jardin de Versailles comportant des broderies de buis. Il domine la pièce d'eau des Suisses. *(Commissariat général au tourisme.)*

118. Cette colonnade classique fut construite par Jules Hardouin-Mansart dans l'un des bosquets de Versailles. *(Commissariat général au tourisme.)*

119. Versailles. Le bassin d'Apollon, près du tapis vert. *(Commissariat général au tourisme.)*

120. Couronnée de fleurs, cette charmante sphinge garde le belvédère du Petit Trianon. *(Commissariat général au tourisme.)*

121. Ce groupe de marbre, *le Bain d'Apollon,* a été déplacé à trois reprises. Il orne actuellement une grotte artificielle du « jardin anglais » au Petit Trianon, à Versailles. *(Services culturels français.)*

122. Jadis propriété de Mme de Pompadour et plus tard transformés en un « jardin anglais », les jardins de Champs ont été reconstitués tels qu'ils étaient jadis par Henri Duchêne. *(Ambassade de France, New York.)*

123. Cette vue aérienne montre la manière ingénieuse dont André Le Nôtre dessina le grand parterre de Chantilly et le relia au château entouré d'eau. Les parterres de l'île datent du XVIe siècle. *(Aéro-Photo.)*

124. Le moulin de Marie-Antoinette, au hameau du Petit Trianon. *(Musées nationaux.)*

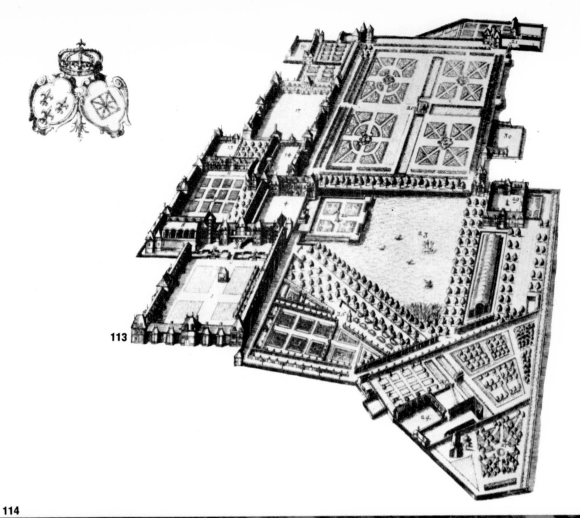

113

114

116

117

118 119

120 121

122

123

Pour construire Vaux, il fallut déplacer trois villages et détourner le cours d'une rivière. On put alors préparer le terrain destiné aux jardins et au parc. Devant le château, qu'entourait un fossé, furent agencés des parterres. Un élégant parterre de broderie (aujourd'hui magnifiquement reconstitué) servit de « pièce de résistance » au jardin de façade. Une large avenue, constituant l'axe principal, conduisait à des cascades. Une statue colossale d'Hercule se dressait sur une éminence verte, dominant l'ensemble. Cette longue promenade était agrémentée par un bassin rond animé d'un haut jet d'eau. La pente, peu accentuée, était coupée de larges marches. A cause de ces différences de niveau, deux plans aquatiques, le canal et le théâtre d'eau, sautaient brusquement aux yeux des visiteurs surpris autant que charmés.

D'une manière tout aussi habile, on avait aplani l'espace rectangulaire à l'arrière du château et aménagé une terrasse surélevée de façon à corriger une pente. Tout le long des allées, des fontaines projetaient en l'air des panaches de gouttelettes argentées. On trouvait aussi dans le parc des bosquets ombreux, des statues et aussi quantité d'arbres de part et d'autre du parterre. Les larges terrasses entourant le château permettaient d'apercevoir celui-ci sous tous les angles. Enfin, l'orientation des pièces et les plantations étaient conçues de telle sorte que le soleil pouvait entrer à flots, répandant sa chaleur et sa clarté dans toute la demeure.

Lors de la fameuse réception donnée par Fouquet à son hôte royal, les invités du surintendant purent à loisir parcourir les allées du jardin. Puis on les convia à pénétrer à l'intérieur du château, où on leur servit un repas fin dans de la vaisselle d'or. A l'issue du festin, ils entendirent Jean-Baptiste Lulli et ses musiciens, puis applaudirent Molière et sa troupe qui jouaient *les Fâcheux*. A la tombée de la nuit, un immense feu d'artifice illumina le parc et les jardins.

Le roi en avait assez vu. Il refusa l'invitation de Fouquet à passer la nuit dans l'appartement préparé pour lui et, dissimulant son dépit de voir que l'un de ses ministres vivait sur un plus grand pied que lui, il repartit pour Fontainebleau, où il arriva à l'aube. La disgrâce de Fouquet fut bientôt chose faite : Louis XIV nomma Jean-Baptiste Colbert ministre des finances, accusa Fouquet d'avoir dilapidé les fonds de l'État et le fit jeter en prison. Plus tard, la veuve de Fouquet vendit le château de Vaux au maréchal de Villars.

Après avoir confondu le trop magnifique Fouquet, Louis XIV passa à la seconde partie de son programme : il réquisitionna tous les talents que le surintendant avait réunis pour faire construire Vaux et ordonna que soient tracés les plans du château de Versailles, qu'il voulait « le plus vaste et le plus grandiose d'Europe », digne du monarque qu'il devait abriter. Le roi considérait en effet Fontainebleau comme démodé, il détestait Paris et les Tuileries, et se rendait compte que Saint-Germain devenait insuffisant pour loger toute la cour. En revanche, il avait toujours beaucoup aimé le pavillon de chasse versaillais de son père. Ce fut donc là qu'il décida de faire édifier son éblouissant palais.

Ce pavillon de chasse, construit par Louis XIII, était en réalité un petit château quadrangulaire, situé sur une butte dominant les bois, les prés et les marécages alentour. Un petit jardin et un parc l'environnaient. Louis XIV commença par agrandir considérablement l'étendue du domaine, puis il le clôtura d'un mur. Les plans grandioses dessinés par Le Nôtre pour les nouveaux jardins ne prirent pas moins de six ans (1662-1668), période au cours de laquelle furent transformés les anciens jardins et le parc de Louis XIII, et où l'on créa le grand canal.

Le génie de Le Nôtre se donna libre cours sur l'immense étendue mise à sa disposition. Il développa les nouveaux jardins selon un grand axe courant est-ouest à partir de la façade du château. Le parc ou plus exactement les jardins de Versailles sont un chef-d'œuvre du jardin français, inspiré de l'Italie, mais auquel Le Nôtre conféra une ampleur et une harmonie jusqu'alors inconnues. Il eut l'habileté de ne pas limiter la perspective par un ouvrage d'architecture, mais au contraire de la laisser fuir jusqu'à l'horizon. Cet « effet d'infini » est une des premières choses qu'il ait prévues dans ses plans. Grâce au ciel, elle a toujours subsisté au cours des âges, alors que la division des jardins et leurs détails changèrent très souvent.

Louis XIV et Le Nôtre étaient en rapports presque constants. Ils se communiquaient leurs idées, ce qui stimulait l'imagination du grand jardinier. Aussi les travaux avancèrent-ils relativement vite.

En mai 1664, deux ans seulement après qu'ils eurent été entrepris, le roi fut en mesure de donner à Versailles une fête qui dura trois jours et éclipsa non seulement la réception de Fouquet, mais aussi les fêtes brillantes données par les Médicis dans les jardins Boboli de Florence.

Officiellement, ces réjouissances visaient à honorer la reine et la reine-mère. Mais, en réalité, elles étaient dédiées à la duchesse de la Vallière, la maîtresse du roi. Cette jeune personne tint le rôle principal dans la représentation *les Plaisirs de l'île enchantée*, basée sur un épisode du *Roland furieux* de l'Arioste.

A cette fête le roi avait invité des centaines de nobles, qui prolongèrent leur séjour

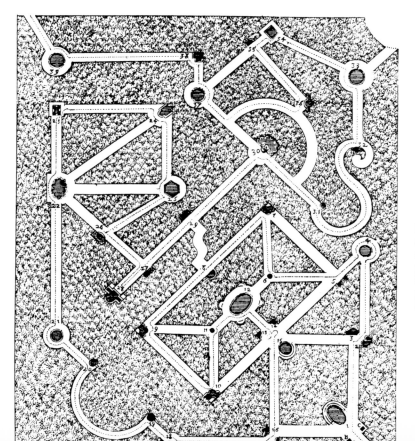

Plan du labyrinthe de Versailles, par Le Pautre. A côté des grandes perspectives du parc, le labyrinthe offrait son intimité aux couples d'amoureux qui voulaient échapper à l'étiquette. (Estampes.)

à Versailles sept jours durant. Ce fut peut-être à ce moment-là que Louis XIV songea à agrandir le château. En 1668, l'architecte Le Vau commença à bâtir le Versailles que nous connaissons aujourd'hui. La construction se développa progressivement, avec de nouvelles adjonctions dues à Jules Hardouin-Mansart dix ans plus tard, pour être enfin achevée, pendant les dernières années du règne de Louis XIV, avec la chapelle royale. Bien avant cette époque le roi avait élu Versailles comme résidence officielle d'abord, et ensuite même comme siège du gouvernement, dès mai 1682.

Et pendant tout ce temps Le Nôtre ne cessa, avec une précision mathématique, de dessiner des parterres, des bosquets et des pavillons de part et d'autre de la perspective centrale. Des milliers de grands arbres furent commandés de tous les coins du royaume. Leur ombre dispensait une fraîcheur dont étaient privées les vastes terrasses qui s'étendaient face au château. Les bosquets servaient de charmants décors à maints divertissements. La colonnade de marbre circulaire, en particulier, était fort appréciée : on y donnait des concerts et on y dansait. Dans le labyrinthe, les couples d'amoureux trouvaient une intimité qui leur permettait d'oublier un instant les exigences de l'étiquette. Enfin, sur le grand canal, courtisans et belles dames pouvaient goûter les plaisirs de l'eau.

D'incomparables richesses, encore visibles de nos jours, embellissaient les jardins. Des milliers de statues et de vases en marbre, en bronze ou en plomb doré, tous sortis des mains de grands sculpteurs, enchantaient bassins et bosquets. Le thème généralement développé était le soleil et l'univers. Apollon, le dieu du soleil, et ses compagnons mythiques figurent dans la plupart des groupes sculptés, en hommage au Roi Soleil. Les personnages et ornements qu'on voyait à Versailles n'étaient « point placés au hasard, mais dans leur ordre de relation avec le soleil ou sa personnification » [2]. Au midi, par exemple, le jardin des fleurs et l'orangerie rappellent par de symboliques décorations la déesse Flore et son amant Zéphyr, et aussi Hyacinthe et Clytie, qu'Apollon changea en fleurs (jacinthe et héliotrope). La légende du Roi Soleil se perpétue encore dans les statues des saisons, de l'aube, de midi, du soir, de la nuit, des quatre continents et des quatre éléments : l'eau, le feu, la terre et l'air.

Le bassin d'Apollon, qui précède le grand canal, nous montre le dieu du Soleil sur son char, émergeant de l'onde. Latone, la mère d'Apollon, et Diane, sa sœur jumelle, surmontent le vaste bassin dominant le tapis vert. La grotte de Thétis était une des retraites préférées du roi. Les statues qu'elle contenait alors furent déplacées à plusieurs reprises. Actuellement, elles ornent une caverne artificielle, dans le « parc anglais » du Petit Trianon.

Cinquante ans durant, les travaux se poursuivirent à Versailles. Quinze cents jets d'eau furent installés sur les fontaines, mais, bien que les ingénieurs en hydraulique du roi ne restassent pas inactifs, ils n'arrivèrent jamais à fournir toute l'eau prévue dans le plan initial. Après avoir un peu tout essayé, on finit par adopter un système de pompage, la machine de Marly, qui se montra bientôt insuffisante à alimenter les insatiables bassins et les dévorants jeux d'eau du nouveau parc. On résolut alors d'utiliser l'Eure, qui coule à cinquante kilomètres de là. L'armée entreprit de creuser un grand canal qui ne fut jamais achevé. On peut encore voir de nos jours les arcades de l'aqueduc derrière le château de Maintenon. Puis un régiment de gardes suisses fut chargé de transformer un marécage en un lac ornemental qu'on appela pièce d'eau des Suisses. A la fin, un système de rigoles suffit, dans les grandes occasions, à remplir les innombrables tuyaux des différents bassins. En temps ordinaire, Louis XIV se contenta de voir jouer les fontaines principales.

Sauf dans le jardin de fleurs créé par Jean de la Quintinie, les couleurs florales n'étaient utilisées qu'en bordures et dans les parterres de broderie. Le Nôtre lui-même méprisait un peu les fleurs. Il affirmait qu'elles ne pouvaient charmer que les nourrices et les bonnes d'enfants.

L'immensité même de Versailles et la foule qui l'encombrait finirent par peser au roi, qui soupira après un peu plus d'intimité. En 1687, il donna ordre d'abattre la petite demeure de plaisance connue sous le nom de Trianon de porcelaine, au bout du bras nord du canal, pour faire bâtir à la place un palais plus vaste, à colonnade de marbre rose, le Grand Trianon (ce nom de Trianon vient du hameau qui s'étendait jadis à cet endroit). Le Trianon de porcelaine, ainsi appelé à cause de son revêtement extérieur de faïences de couleur à la mode de Chine, était déjà réputé pour ses jardins et ses fleurs. Le nouveau Trianon, plus vaste, fut décoré encore plus splendidement; des massifs floraux furent plantés en abondance et soigneusement entretenus. Le Nôtre écrit à ce sujet :

« Ce jardin est toujours plein de fleurs... On n'y voit jamais la moindre feuille morte... Il est nécessaire de changer continuellement plus de deux millions de pots... »

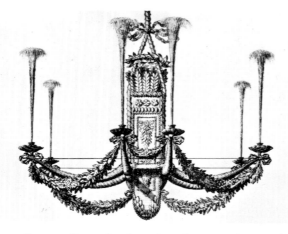

La grotte de Thétis était éclairée de candélabres composés de coquillages. Gravure de F. Chauneau, 1676.

« Le parfum du jasmin, des narcisses, des jacinthes, des lis, des héliotropes, des œillets et des tubéreuses emplissait l'air à tel point, déclare Saint-Simon, que certain jour le roi et sa cour furent obligés de fuir les lieux pour n'être point incommodés. »

Le Trianon (qu'on ne qualifia de Grand qu'après la construction du Petit, pour Louis XV) n'offrait pas une perspective très étendue. Il possédait cependant des bosquets et des bassins avec jets d'eau. L'appartement royal donnait sur un jardin de fleurs, et l'aile réservée aux invités était ombragée de grands arbres.

Comparé au château de Versailles, le Trianon, que Louis XIV offrit en cadeau de mariage à Mme de Maintenon, secrètement épousée par lui, ne semblait guère classique.

192

Si l'on en croit Hyacinthe Rigaud (1659-1743), le magnifique parterre du Grand Trianon se parait des fleurs les plus rares. *(Metropolitan Museum of Art. Photo Roche.)*

Cependant il fut toujours une des résidences préférées du roi. Sous le règne de Louis XV, on lui adjoignit un jardin botanique.

Une autre résidence fort appréciée du Roi Soleil fut Marly. Le site — une étroite vallée — lui convenait, car l'horizon borné n'offrait ni grande perspective « ni possibilité d'en créer une ». Autrement dit, c'était plus une calme retraite qu'autre chose. Le souverain venait y passer trois jours de temps en temps. Sa suite logeait dans des pavillons individuels qui bordaient le parterre d'eau central. Puis Louis XIV changea d'idée quant à la vue et fit raser une colline. Des cascades furent aménagées derrière le petit ermitage, beau bâtiment classique dessiné par Mansart. Elles ruisselaient en larges nappes sur des marches de marbre et s'agrémentaient de jets d'eau et de statues. On agrandit les jardins de Marly. Des avenues furent percées au milieu des bois et de nouvelles statues disposées un peu partout. Ces folies, bien entendu, coûtèrent un prix fou, ce que condamna sévèrement Saint-Simon. Par malheur, Marly fut détruit pendant la Révolution. Tout ce qu'on peut encore en admirer aujourd'hui se résume à la grande « machine » à eau et au parc environnant.

Si Le Nôtre ne joua qu'un rôle secondaire à Marly, il ne cessa par ailleurs de travailler à remodeler les jardins déjà existants du roi et de la noblesse ou à en créer de nouveaux. Il simplifia le dessin des Tuileries, en refit les terrasses et y planta davantage d'arbres. Parmi les nouveaux jardins qu'il imagina il faut citer celui de Saint-Germain pour le roi, de Meudon pour Louvois, de Saint-Cloud pour le duc d'Orléans, de Sceaux pour Colbert et de Chantilly pour le duc de Condé.

C'est Chantilly qui posa à Le Nôtre son plus grand problème. L'eau qui entoure le château l'obligea à renoncer à sa formule habituelle : un axe central filant vers l'horizon à partir du bâtiment et bordé d'arbres. Il tourna la difficulté en dessinant une immense terrasse, avec une vue magnifique, sur un côté du château. Puis il imagina un escalier monumental conduisant au parterre. Vu la proximité de la rivière (la Nonette) et le voisinage de nombreuses sources naturelles, on n'avait aucun mal à se procurer de l'eau. Aussi Le Nôtre fit-il de l'élément liquide le thème principal de sa décoration. Avec la répétition régulière de bassins ronds et un canal alimenté par la rivière traversant les jardins, le château est réfléchi sous tous ses angles par ces miroirs aquatiques. Il semble flotter sur le paysage. Les bois furent nivelés des deux côtés du parterre. On aménagea dans le parc des cascades, un pavillon, une ménagerie, une halte de chasse et même une chapelle. De l'avis même de Le Nôtre, avec Chantilly il réalisa l'un de ses plus purs chefs-d'œuvre.

Ce grand architecte et dessinateur de jardins fut un artiste aimé et respecté par ceux qui l'employaient... mais il n'était guère modeste. Il écrivit sa propre épitaphe... une épitaphe follement dithyrambique, tout à la gloire de son génie [4]. Point n'était besoin de se vanter autant : les jardins de Versailles sont à eux seuls la plus enthousiaste des épitaphes. Toutes les têtes couronnées d'Europe se sentirent obligées de les copier.

Après la mort de Louis XIV, en 1715, les nobles, qui en avaient assez de l'étiquette de la cour et de leur esclavage doré, s'empressèrent de regagner leurs propres domaines. Pendant le règne de Louis XV (1723-1774) et celui de Louis XVI (1774-1793), la vie sociale devint moins terne qu'au cours des dernières années de l'ancien régime. Les arts reflétèrent ce changement : la lourde décoration baroque céda la place à la délicatesse du style rococo. La technique des jardins suivit d'abord la formule de Le Nôtre, puis, petit à petit, une transformation s'opéra. On simplifia les broderies de buis. Un

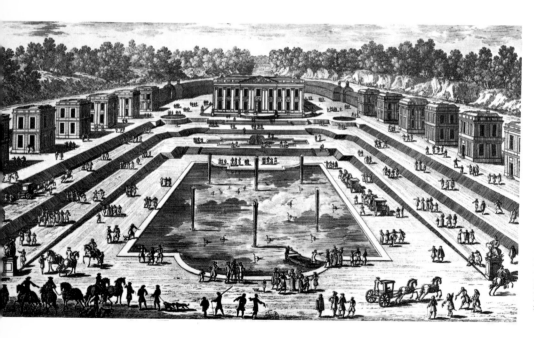

L'ermitage de Louis XIV à Marly dominait un grand parterre d'eau et douze pavillons séparés réservés aux invités du souverain. (*Bibliothèque nationale, Paris.*)

type de paysage plus libre prit naissance, avec des sentiers serpentant à travers de vastes parcs. Enfin, on adopta carrément le « style paysage », proche de la nature, suivant la mode anglaise. Le jardin de l'aristocrate moyen cessa d'être un décor pour fêtes magnifiques et ressembla désormais à une agréable retraite où il faisait bon se délasser.

Jean-Honoré Fragonard et Hubert Robert peignirent maintes joyeuses scènes champêtres, ou plus exactement « horticoles », d'une manière fort romantique. Leurs tableaux reflètent l'insouciante gaieté de l'époque et nous montrent la gamme des activités auxquelles on se livrait alors en plein air. Leurs toiles représentent des gens en train de canoter, de faire la dînette sur l'herbe, courant, jouant, se balançant sur une escarpolette, participant à des mascarades ou, plus simplement, se contant fleurette sous un buisson. Toutes ces peintures, en accord avec la littérature du XVIIIe siècle, brossent une société frivole s'agitant autour de l'amour roi.

En France aussi bien qu'en Angleterre la réaction contre le sévère jardin conventionnel s'exprima d'abord par la voix des philosophes et des écrivains. Les ouvrages d'Addison, qui critiquait la rigidité horticole, et de Pope, qui se moquait du buis taillé en formes fantastiques, furent traduits en français cependant que Voltaire proclamait de son côté :

> Jardins, il faut que je vous fuie,
> Trop d'art me révolte et m'ennuie.

Jean-Jacques Rousseau, qui condamnait les artifices de tout genre, prêchait la vie simple et le retour à la nature. Dans sa *Julie ou la Nouvelle Héloïse* il décrit un jardin idéal avec prairies, ruisselets, clairières et fleurs. Par ailleurs, il s'insurge contre les ornements de porcelaine, les buis rognés, les treillis, les sables colorés et même les beaux vases remplis de vent. Son culte de la nature s'adaptait à merveille au goût anglais, qui prônait un jardin revenu à l'état naturel.

C'est également au XVIIIe siècle que la France subit l'influence chinoise tant dans le domaine des arts décoratifs qu'en horticulture. Un peintre français entré dans l'ordre des Jésuites, Jean-Denis Attiret, accompagna des missionnaires à Pékin, où il travailla à décorer le palais de l'empereur. Il relate les merveilles qu'il vit là-bas dans le *Journal des savants*. Sa description des jardins de l'empereur de Chine fut lue par un vaste public avec le plus vif intérêt. Bientôt ce type de jardin fut connu sous le nom de « jardin anglo-chinois ». Les artistes jésuites alors employés à la cour impériale de Pékin pour peindre des paysages, des portraits et des fleurs utilisaient des matériaux chinois et une technique pseudo-chinoise, mais ils ajoutaient à celle-ci certaines méthodes occidentales.

En France, ce fut à Ermenonville que se manifesta pour la première fois le « style naturaliste ». Le marquis de Girardin avait visité bon nombre de jardins anglais et, en 1766, il se lança dans des travaux horticoles qui devaient durer dix ans. Le marquis était un grand admirateur de Jean-Jacques Rousseau. Il composa donc son jardin romantique d'après les descriptions idéales du philosophe. Quelque temps avant la mort de Rousseau il lui offrit l'hospitalité dans son domaine. C'est là que Jean-Jacques passa ses derniers jours, là également qu'il fut inhumé, au milieu d'un lac du parc, dans une île appelée île des Peupliers, où un tombeau lui fut élevé. Le corps du philosophe y demeura jusqu'en 1794. On l'en tira alors pour le porter au Panthéon.

A Ermenonville, de petits ruisseaux serpentaient naturellement à travers bois. Une cascade agrémentait le lac. Fleurs et arbustes ne se rencontraient jamais en massifs ou

A gauche : le tombeau de Jean-Jacques Rousseau à Ermenonville. *(New York Public Library.)*
A droite : le parc Monceau. Le pavillon principal et le « jeu de bague » du manège chinois. Eau-forte
d'après Louis Carmontelle, 1779. *(Metropolitan Museum of Art. Photo Roche.)*

en plates-bandes puisque le décor devait être « naturel ». Le domaine comprenait une
étendue presque désertique (où l'on ne trouvait guère que des pierres et de menus
pins), un ermitage, un temple des Philosophes, un cottage au toit de chaume, une
grotte, la tombe d'un jeune homme qui s'était suicidé dans le parc et une ferme rustique.

On trouvait aussi, gravés sur les murs, sur de petits obélisques et même sur le tronc
des arbres du parc, des extraits d'Horace, de Virgile, de Pétrarque, de Rousseau et de
Voltaire. Chaque phrase était choisie avec soin pour répondre aux différents états
d'âme des visiteurs et s'adaptait le mieux possible à l'endroit où on pouvait la lire.

En certaines occasions spéciales un orchestre de musiciens cachés dans la verdure
faisait entendre des airs champêtres. Parfois même le concert était donné sur des bateaux
voguant sur le lac.

Faisant pendant au parc d'Ermenonville, et bien que de conception différente et
plus frivole, le parc Monceau fut créé à Paris. Le duc de Chartres, qui en eut l'idée,
semble bien avoir voulu flatter le goût de chacun. Louis Carmontelle, qui dessina en
partie le parc, décida qu' « un jardin à l'état naturel devait être jalonné comme un itiné-
raire », c'est-à-dire qu'on devait le découvrir graduellement et qu'il ne devait livrer
ses trésors que l'un après l'autre. Carmontelle admirait fort les pelouses anglaises, mais
affirmait que les jardins français ne devaient pas être une pâle imitation des jardins
d'outre-Manche. Il désirait que « la liberté qui produit de nouveaux et piquants effets »
s'adaptât « à nos idées, à nos goûts et à nos usages ».

Dans le parc Monceau on trouva donc des pavillons, des belvédères, des tombeaux,
des ruines, des amusements tels qu'un manège à la chinoise, un minaret, une tente
tartare, un vignoble italien, un moulin à vent hollandais, bref « une petite confusion
de quantité de choses », ainsi que l'écrivit un des rivaux de Carmontelle.

Le pavillon principal était fait de marbres de couleurs différentes et orné de guirlandes de bronze. Le manège ne pouvait emporter que quatre personnes; les hommes
prenaient place sur des dragons et les dames sur des coussins que tenaient à bout de
bras des serviteurs chinois statufiés. Pour se maintenir en équilibre, ceux qui utilisaient
ce manège devaient s'agripper à des ombrelles de métal ornées de mignons grelots.

Les gens pouvaient également circuler à dos de chameau dans les allées du parc

196

Au parc Monceau, le moulin à vent hollandais pompait l'eau d'une cascade parmi des rochers. Les pseudo-ruines du temple de Mars faisaient « plus vrai » grâce à l'adjonction d'un arbre mort habilement placé. Eaux-fortes d'après Carmontelle, 1779. *(Metropolitan Museum of Art. Photo Roche.)*

Monceau. Selon le site qu'ils traversaient ils étaient accueillis par des serviteurs costumés en conséquence. De nos jours ce parc parisien, à deux pas de l'Étoile, offre encore à la vue des curieux un tombeau, une pyramide, les colonnes des fausses ruines d'un temple de Mars et les vestiges du bassin romain à colonnade où se livraient de pseudo-batailles navales.

Monceau possédait aussi un hameau qui était supposé représenter typiquement la vie rustique dans toute sa simplicité. Cette idée fut adoptée avec enthousiasme par l'aristocratie. Dans leurs jardins, les nobles s'appliquèrent dès lors à évoquer les plaisirs ou les travaux des champs et de la ferme : la traite des vaches, la distribution du grain à la volaille, la fabrication du beurre.

L'une de ces fermes célèbres fut celle de Chantilly lorsque, en 1780, une partie du domaine fut transformée en « jardin anglais ». Une fausse simplicité — très étudiée — marqua le hameau, qui, en fait, procurait aux visiteurs tout le confort et le luxe auxquels ils étaient habitués. L'intérieur d'un des petits bâtiments, imitation d'un « rendez-vous de chasse », nous est décrit comme une « superbe salle à manger ». Des troncs d'arbre garnis de mousse servaient de sièges. Des fleurs poussaient sur le sol, des arbres entiers formaient aux murs une tapisserie végétale. Les fenêtres s'ouvraient parmi les branches, laissant pénétrer à flots la lumière du jour, cependant tamisée par le feuillage. La nuit, on accrochait des lanternes aux rameaux, et l'on avait l'impression de camper en pleine nature.

Le hameau de Marie-Antoinette au Petit Trianon est certainement le plus connu de tous. Il constitua le dernier embellissement apporté au petit palais avant les horreurs de la Révolution. C'est là que la malheureuse reine, qui vivait en marge de la réalité aussi bien qu'en marge de son peuple, passa les meilleurs moments de sa triste vie.

Louis XVI lui avait offert le Petit Trianon en cadeau de mariage. Marie-Antoinette trouva dans cette paisible retraite la même sorte de répit qu'y avaient cherchée Louis XV et Mme de Pompadour. La reine y séjournait parfois plusieurs mois avec ses enfants. Quelques-uns des jardins conventionnels subsistaient encore au Petit Trianon lorsque le « style paysager » fit son apparition en 1781. L'endroit prit alors un aspect plus aimable, avec des allées qui avaient l'air de serpenter selon leur propre caprice et l'apport de nouvelles espèces d'arbres. Un belvédère de forme octogonale fut construit sur une base de rocaille. Le célèbre temple de l'Amour, en marbre blanc, fut érigé au centre d'une île minuscule, sur un cours d'eau artificiel.

Un autre jardin de « style anglais » resté célèbre est celui de Bagatelle, dans le Bois de Boulogne. Le comte d'Artois, le plus jeune frère de Louis XVI, y avait acquis un domaine entourant une petite maison en fort mauvais état. Marie-Antoinette l'ayant taquiné sur sa « belle acquisition », son beau-frère jura qu'il était capable de transformer l'endroit en un temps record. Il tint parole. Il ne mit en effet que soixante-quatre jours à créer les jardins et bâtir un pavillon. Pour accomplir cet exploit (qu'il avait parié de réaliser pendant que la cour déserterait Versailles pour son séjour automnal annuel à Fontainebleau) le comte d'Artois fit travailler ses hommes et ses chevaux nuit et jour. Par la suite, lui et ses jardiniers (François-Joseph Bélanger, Lerouge et un Écossais, Thomas Blaikie) continuèrent à apporter des embellissements au parc.

A GAUCHE : le parc de Bagatelle, avec son pont d'inspiration chinoise. *(Metropolitan Museum of Art.)*

A DROITE : le domaine de la Malmaison était planté à la manière d'un « parc paysager » anglais, exception faite de la célèbre roseraie de l'impératrice Joséphine. Des cygnes blancs, l'un des emblèmes préférés de la souveraine, habitaient en permanence le petit lac artificiel. *(Bibliothèque Pierpont Morgan.)*

Suivant la coutume établie, un certain classicisme prévalait aux abords immédiats du pavillon cependant qu'un peu plus loin on revenait à la nature avec une rivière, un lac et des grottes. Une petite île, plantée de peupliers et dotée d'une tombe imitée de celle de Jean-Jacques Rousseau à Ermenonville, y fut aménagée..., bientôt copiée à travers toute l'Europe.

Bagatelle, cependant, était peu prisé par les Français. Un écrivain du temps décrit son désordre comme celui d'une « coquette en négligé ». Le parc subit maints changements au cours des temps, depuis la Révolution jusqu'à nos jours. La dernière année de la Terreur, l'Assemblée nationale s'en empara et en fit un lieu de plaisir et de promenade pour les Parisiens. Sous l'Empire, Bagatelle servit de réserve de chasse à Napoléon. Pendant la Restauration, le domaine fut racheté par le comte d'Artois, qui en était resté vingt-deux ans privé. Sous le second Empire, il changea encore de mains. Plusieurs propriétaires anglais en devinrent tour à tour les maîtres, entre autres Sir Richard Wallace, qui se hâta d'expédier à Londres ses inestimables collections artistiques lorsque Bagatelle lui parut en danger, la première année de la République.

Pour finir, en 1905, la Ville de Paris acquit la propriété pour en faire un parc d'intérêt horticole..., ce qu'il est encore de nos jours. A l'exception du pavillon et du lac, il ne reste pour ainsi dire aucune trace des jardins d'autrefois. Bagatelle est surtout connu aujourd'hui pour l'exceptionnelle beauté de sa roseraie, encore que son jardin d'iris soit également adorable. Ce fut sous le règne de la Terreur et après la Révolution que les jardins souffrirent le plus en France. Ceux des aristocrates, cessant brusquement d'être entretenus, devinrent de pitoyables cimetières à végétaux. A Versailles, la populace déchaînée, bête et ignorante, se livra aux pires excès : le palais fut saccagé. Par bonheur, la plupart des statues et autres sculptures du parc restèrent intactes. Mais le parc lui-même, piétiné et négligé, retourna vite à l'abandon. Napoléon se soucia peu

de le restaurer. En revanche, comme le Grand Trianon et Fontainebleau lui plaisaient, il fit un effort pour les rendre à leur gloire passée.

La résidence qui reste le plus étroitement associée à Napoléon et à sa première épouse, Joséphine de Beauharnais, est, bien entendu, la Malmaison. La future impératrice avait acquis cette propriété en 1799, trois ans après son mariage, et la considéra toujours comme sa véritable demeure. Elle ne cessa d'apporter des embellissements au décor pittoresque, style « parc anglais », qui mettait en valeur la maison, d'une architecture un peu sévère. Mais elle ne s'en tint pas là... Elle créa aussi une roseraie qui eut très vite une renommée mondiale et où l'on trouvait toutes les variétés de roses connues, soit environ deux cent cinquante.

Joséphine s'intéressait passionnément à l'horticulture. Elle faisait venir des plantes et des arbres d'un peu partout. Camélias, hydrangéas (hortensias), mimosas, rhododendrons et catalpas trouvèrent tous une place dans le paysage. Dahlias, géraniums et phlox vinrent se mêler aux autres fleurs des jardins. Une vaste serre abrita les espèces exotiques.

Les séquelles de la Révolution durèrent longtemps, et de nombreuses années s'écoulèrent avant que les gens aient à nouveau les moyens de s'offrir des jardins d'agrément. Les aristocrates appauvris rentrant d'exil, aussi bien que les nouveaux acquéreurs de domaines ayant appartenu aux victimes de la guillotine, se trouvaient devant des jardins et des terres tellement à l'abandon qu'ils étaient saisis de découragement à leur seule vue. Sans une nombreuse main-d'œuvre pour les entretenir, les anciens parterres classiques cessèrent d'exister et tombèrent dans l'oubli. Ceux que nous pouvons admirer de nos jours en des lieux tels que Champs et Vaux-le-Vicomte ne sont évidemment que des reconstitutions.

La France du XIXe siècle n'eut guère le loisir de se lancer dans une rénovation de l'horticulture. Des événements tant politiques qu'économiques troublaient sans cesse la vie quotidienne. Chacun s'occupait avant tout de survivre. Aussi le meilleur moyen de tirer parti d'un terrain d'agrément semblait-il être de le laisser s'incorporer au paysage alentour. Le « retour à la nature » s'accentuait donc...

Petit à petit l'horticulture emboîta le pas au mouvement romantique littéraire et pictural. On dessina de nouveaux jardins selon des styles gothique ou rustique. Le botaniste Thouin classait les jardins en cinq types différents. Les « jardins champêtres » étaient constitués par des prairies, des vergers, des ruisseaux et des fleurs; les « jardins sylvestres » par des arbres, des rochers, des cascades et des cabanes de bûcheron; les « jardins pastoraux » par des paturâges avec vaches et moutons, des lacs poissonneux et des accessoires comme moulins à vent, ponts et huttes de berger. Au quatrième type appartenaient les « jardins romantiques », qui exigeaient de la fantaisie et de la variété. Les arbres qu'on y plantait devaient avoir des feuillages « à effets saisonniers » et l'eau y entrait comme élément essentiel et mouvant sous forme de cascades, de chutes et de fontaines. On y trouvait également des vases, des statues, des grottes, des ruines, des tombeaux et des temples.

Le dernier type, les « jardins paysagers », offrait une combinaison des quatre premiers. Cela sur une vaste échelle et avec adjonction de « grandes eaux ». Ces jardins étant bien trop étendus pour qu'on pût les parcourir à pied, on y circulait habituellement en voiture ou à cheval. Il est peu probable que ce genre de jardin fit beaucoup d'adeptes. En tout cas, on ne se soucia pas de le copier.

Cependant, avec son amour inné pour le classicisme dans tous les domaines, le Français ne tourna jamais complètement le dos aux jardins conventionnels.

Petit à petit, comme dans tous les autres pays d'Europe, l'introduction de nouvelles et merveilleuses plantes venues de Chine, de l'Afrique du Sud, de l'Amérique centrale et de l'Amérique du Sud incita les jardiniers français à se compartimenter de moins en moins dans tel ou tel style.

En revanche, l'intérêt des amateurs d'horticulture se concentra de plus en plus sur les fleurs et leur hybridation (création de variétés nouvelles) ainsi que sur les arbustes décoratifs et les specimens d'arbres à feuillage original.

Les motifs floraux redevinrent à la mode. On revit des fleurs en massifs égayer les

En 1819, Gabriel Thouin publia un ouvrage contenant des suggestions et des dessins relatifs à toutes sortes de jardins. Cette page nous montre quelques-uns des embellissements prônés par lui, tels que monuments et temples romains « en ruine », tombeaux anciens, rochers et cavernes, abri pour cygnes, hangar à bateau, volière chinoise, différents modèles d'embarcations (y compris une gondole) et... un phare! *(Metropolitan Museum of Art. Photo Roche.)*

pelouses, et la « culture en mosaïque » fut adoptée pour embellir de vastes espaces; ce système consistait à dessiner des parterres à l'aide de fleurs à tige courte, mais aux coloris violents. C'est ainsi que les teintes resplendissantes des géraniums écarlates et vermillons se mêlaient aux soucis orange, aux lobélias bleues, aux bégonias roses et autres fleurs aux tons éclatants.

En résumé, on peut dire que l'époque des grands jardins de France fut le XVIIe siècle. Par la suite, on enregistra une vague d'enthousiasme pour le parterre et la perspective, puis un engouement pour le « jardin anglais ». Finalement, au cours du XIXe siècle, on en revint au jardin de fleurs soigneusement dessiné. Et cela non seulement dans notre pays, mais aussi dans les autres contrées d'Europe et en Amérique.

Pendant le règne de Louis XIV, la noblesse française vécut à la cour, dans le but d'obtenir la faveur royale, mais avant et après ce long règne, les nobles et princes de l'Église se firent construire des châteaux entourés de ces beaux jardins dits " jardins français ".

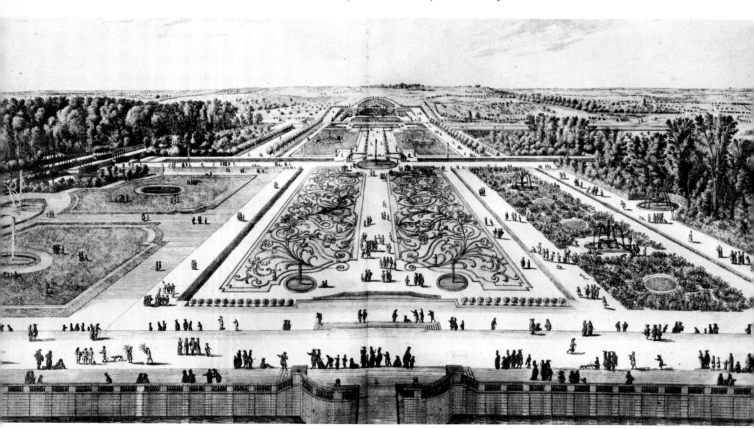

IX

Versailles et l'Italie font École

La splendeur du Versailles de Louis XIV suscita, à travers l'Europe, l'envie de tous les autres souverains.

Durant le règne du Roi Soleil et, après sa mort, pendant la Régence, il était de bon ton que les nobles étrangers vinssent se frotter à la magnificence versaillaise. Frédéric II affirmait qu'un jeune homme n'ayant pas séjourné quelque temps à Versailles faisait figure d'imbécile. Les rois et les princes du monde entier dépensèrent des sommes fabuleuses pour louer les services d'architectes et de jardiniers en renom; tous voulaient qu'on leur bâtît des châteaux et qu'on leur dessinât des jardins capables de rivaliser avec ceux de Louis XIV.

Le résultat de leurs efforts, certes, ne fut pas négligeable. Néanmoins Versailles ne put jamais être égalé. On peut cependant encore admirer, dans plusieurs pays d'Europe, de remarquables échantillons d'architecture et d'horticulture datant de cette époque. Il faut noter en particulier que les jardins de Versailles furent copiés non seulement par les puissants souverains, mais aussi par les aristocrates anglais et, plus tard, par les richissimes industriels d'Amérique.

Les caractéristiques du jardin italien Renaissance (sculptures et emploi massif de l'eau) ont souvent inspiré d'autres créations sur une vaste échelle. Cela se produisit à un degré moindre au cours des cent ans qui suivirent la mort de Louis XIV, alors que la gloire de Versailles était à son apogée. Il faut signaler toutefois que l'Autriche ainsi que les autres pays limitrophes de l'Italie ne cessèrent jamais de subir l'influence italienne.

La beauté architecturale du style et celle des effets d'eau forcent, en se combinant, l'admiration de tous.

Les photographies qui suivent constituent une petite sélection des jardins créés dans le « grand style » en Europe, en Amérique et même en Chine.

Planches

125. Le Nymphenburg était un palais d'été des rois de Bavière, près de Munich, renommé pour ses statues et ses vases dorés, ses fontaines et ses bassins. Ses parterres ont aujourd'hui disparu, mais il reste un réseau d'allées bien tracées et des canaux. Une bonne partie de l'ensemble fut transformée en « parc paysager » à la fin du XVIIIe siècle. Plusieurs pavillons charmants de cette époque subsistent encore. *(Centre d'information allemand.)*

126. Le château de Herrenchiemsee, en Bavière, fut construit par Louis II entre 1878 et 1885. C'est une franche imitation de Versailles. *(Office national allemand du tourisme.)*

127. Les parterres des jardins Mirabell à Salzbourg ont été depuis longtemps simplifiés. Quatre statues sont cependant toujours visibles sur leur piédestal près de la fontaine centrale. Le palais fut construit en 1606 par l'évêque Wolf Dietrich. *(Bureau d'information autrichien.)*

128. La colonnade connue sous le nom de Gloriette s'élève sur une éminence dominant le château de Schönbrunn, à Vienne. Devant s'étend un beau parterre orné d'un bassin et de la fontaine de Neptune. L'impératrice Marie-Thérèse veilla à l'harmonieux développement de ces jardins conçus d'après un plan de Le Nôtre. *(A. Defner.)*

129. Le palais d'été de Queluz, au Portugal, tout près de Lisbonne, date du milieu du XVIIIe siècle. Ses jardins furent dessinés par un Français, Jean-Baptiste Robillon. *(Portuguese Government Tourist Office. Photo : « Sni-Yan ».)*

130. Au nord de Madrid, près de Ségovie, sur les pentes de la sierra de Guadarrama, Philippe V fit construire une retraite estivale appelée La Granja (la ferme). Petit-fils de Louis XIV, ce roi de la dynastie des Bourbons connaissait bien Versailles et s'efforça de créer une résidence grandiose. La Granja s'élève dans un site boisé, avec les montagnes à l'arrière-plan. L'eau ne manquant pas, les jardins sont égayés de fontaines. Cette photographie montre la cascade de marbre qui agrémente le grand parterre. *(Spanish National Tourist Department.)*

131. Petrodvorets est le palais d'été de Leningrad (anciennement Saint-Pétersbourg). Il fut construit pour Pierre le Grand par Alexandre Le Blond, qui vint en Russie comme architecte en chef de la nouvelle capitale. Le long canal s'étire jusqu'au golfe de Finlande. Des bosquets, de part et d'autre de ce canal, abritent plusieurs pavillons de plaisance. Pierre le Grand fit planter quarante mille arbres dans ce magnifique domaine devenu aujourd'hui parc public. *(V. Malyshev.)*

132. Un parterre d'eau à l'italienne, d'une beauté sereine, s'étend devant le palais de Blenheim, Oxfordshire, Grande-Bretagne. *(British Travel and Holidays Association.)*

133. Le palais royal et les somptueux jardins de Caserta, en Italie, furent commencés en 1752, sous les rois Bourbons de Naples. Parcs et jardins s'apparentent aux jardins français du Grand Siècle, avec parterres (aujourd'hui devenus, pelouses), larges avenues, pièces d'eau et fontaines. En contrebas de la cascade, des statues racontent l'histoire de Diane et de ses compagnes, que le chasseur Actéon surprit au bain : la déesse changea l'importun en cerf et le fit dévorer par ses chiens. *(Anderson.)*

128

129

134   135   136

Planches

134. En 1906, Pierre S. du Pont commença les jardins Longwood de Kennett Square, en Pennsylvanie. On y trouve des jardins d'eau, une roseraie, des parties boisées, des serres, etc. Au pied du principal jardin d'eau se trouve un canal avec fontaines jaillissantes. Des statues importées d'Italie agrémentent l'ensemble. *(Longwood Gardens.)*

135. Les magnats de l'industrie américaine de la fin du XIXe siècle et du début du XXe siècle s'engouèrent d'architecture et d'art européens. Dans un site montagneux de la Caroline du Nord, tout près d'Asheville, George W. Vanderbilt chargea Richard Hunt de lui dessiner un château à la française et Frederick Law Olmsted d'en tracer les jardins. Le domaine s'appelle Biltmore.

Ses azalées et sa roseraie sont célèbres. *(Samuel A. Bingham Jr.)*

136. Vizcaya est le nom donné au palais italien et à ses jardins classiques créés par James Deering dans le golfe de Biscaye, à Miami. Des centaines de jardiniers européens durent travailler dur pour tailler le domaine dans la jungle des palétuviers. La chose fut menée à bien en 1921. On utilisa du jasmin à la place du buis d'Europe pour les parterres de broderie. Des chênes taillés flanquent la pelouse verte du centre. Certaines sculptures ornant ces jardins sont l'œuvre d'artistes italiens qui exercèrent leur talent sur... du corail de Floride. Le chaland de pierre que l'on voit à droite fait office de brise-lames. *(Miami-Metro News Bureau.)*

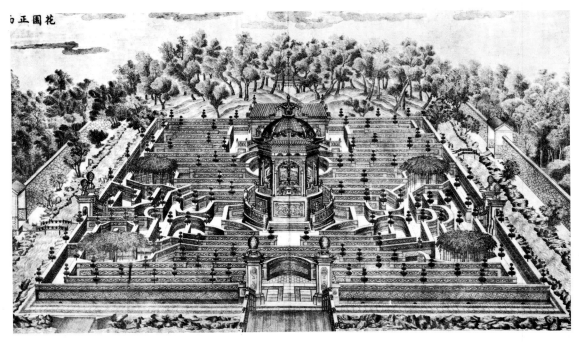

CI-DESSUS : le renom des jardins d'Europe était tel que l'empereur de Chine lui-même voulut les copier. Il n'y consacra cependant qu'une très modeste portion des immenses jardins de son palais d'été à Pékin. Deux missionnaires jésuites, le père Michel Benoit et le père Giuseppe Castiglione, furent chargés de tracer une série de jardins à l'imitation des « chefs-d'œuvre d'eau étrangers ». Ces jardins furent nommés *Hsieh Ch'i Ch'u*, autrement dit : « Harmonieux, Étranges et Agréables ». Le labyrinthe de *Hsieh Ch'i Ch'u* était entouré, sur trois côtés, d'eaux jaillissantes. Les Chinois se contentaient d'ordinaire, dans leurs jardins, de paisibles pièces d'eau avec, exceptionnellement, une petite cascade quasi silencieuse.

PAGES SUIVANTES : le palais dit « de la Mer Sereine ». La rampe du grand escalier est agrémentée de jeux d'eau. Au-dessous, on voit une horloge aquatique où douze animaux fabuleux, rangés de part et d'autre, ponctuent, par des jets d'eau, chaque heure du jour. Pour une heure, un seul jet; pour deux heures, deux jets, et ainsi de suite jusqu'à douze. Les gerbes retombent au centre du bassin. Tous ces jeux aquatiques étaient construits comme ceux de Versailles et de Saint-Cloud. *(New York Public Library.)*

137. EN FACE : des allées de grands charmes taillés conduisent au château de Schönbrunn, à Vienne. *(Photo Researchers.)*

A GAUCHE : jeux de quilles dans les jardins du Nymphenburg. Gravure du début du XVIIIe siècle par Mathias Diesel. *(Metropolitan Museum of Art. Photo Roche.)*

CI-DESSOUS : gravure du XVIIIe siècle. Les jardins de Mirabell à Salzbourg. Certains de ces beaux jardins classiques furent tracés sur l'emplacement des fortifications de la ville. *(New York Public Library.)*

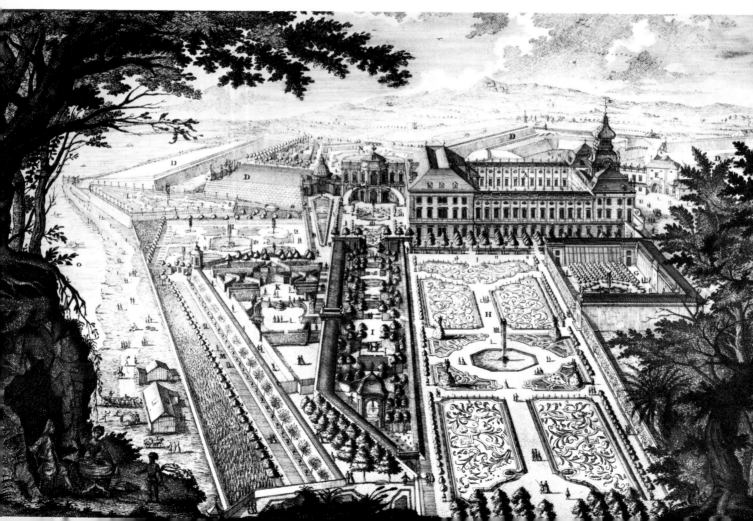

138. Hampton Court : le jardin au bassin rond et
la salle des Banquets.

X *L'Angleterre Traditionaliste*

La grande vogue des jardins d'agrément passa successivement de l'Italie de la Renaissance à la France du XVIIᵉ siècle et, enfin, à l'Angleterre du XVIIIᵉ siècle. Depuis cette époque, on peut dire que la Grande-Bretagne régit virtuellement le monde des jardins. Elle a créé des styles, a collectionné avec enthousiasme des plantes de toute provenance, s'est efforcée de vulgariser la science des végétaux et continue à œuvrer pour atteindre la perfection dans la beauté florale.

La tradition horticole anglaise, du reste, a des origines extrêmement lointaines. Il est certain que des jardins se créèrent déjà sur son sol au cours de l'occupation romaine, qui dura presque quatre cents ans. Les demeures primitives n'étaient que de simples huttes. Mais, avec la prospérité, le confort apparut : on construisit des fermes et des villas dotées de bains luxueux, d'eau courante et du chauffage central.

Dans la ville romaine de Calleva Atrebatum (aujourd'hui Silchester), par exemple, on trouvait des maisons particulières avec jardin. Sans doute poussait-il là des fleurs telles que lis, pivoine, rose et violette, dont les noms viennent directement du latin : *Lilium, Paeonia, Rosa et Viola*. Certainement aussi, existait-il des vergers et des potagers. Il est à supposer que le cerisier, le pêcher, le mûrier et le noyer furent importés à cette époque.

Après l'occupation romaine, les Anglo-Saxons et les Danois, perpétuellement en guerre, n'eurent que peu de temps à consacrer aux jardins d'agrément. En revanche, nous savons que les envahisseurs avaient des jardins utilitaires. En effet, le mot *orchard* (verger), qui est resté dans la langue anglaise, vient de l'anglo-saxon *ortgeard* ou *wortgeard,* orthographié quelquefois *wyrtgeard. Wort* signifiait plante, et *geard* indiquait une barrière ou une habitation. Ce que nous appelons aujourd'hui verger *(orchard)* désignait donc à l'origine un enclos planté de végétaux divers, et non pas uniquement d'arbres fruitiers. A signaler cet autre ancien mot danois, *garth,* qui signifiait « enclos ».

Lorsque le christianisme s'implanta en Grande-Bretagne, des jardins entourèrent les monastères récemment fondés. On y cultivait surtout des herbes médicinales. Quelques jardins de fleurs fournissaient de quoi composer couronnes et guirlandes servant à décorer les églises.

Après la conquête normande, on bâtit des châteaux forts flanqués de petits jardins à l'intérieur de l'enceinte. On en voit sur des textes enluminés, et les poètes les ont célébrés. Chaucer, dans ses poèmes, chante les « haies épaisses » et les tonnelles de verdure. Malheureusement, allées, nids verdoyants, coins de pelouse et sièges de mousse n'occupaient qu'une très modeste place dans les châteaux du Moyen Age.

Il ne s'agissait là que d'une forme très rudimentaire de jardinage. En fait, l'époque n'était guère favorable à l'horticulture. La guerre de Cent Ans opposa longtemps les Anglais aux Français, puis la Grande-Bretagne connut la « mort noire », épidémie de peste qui fit des victimes par milliers. Ensuite il y eut la guerre des Deux-Roses, qui mit aux prises les York et les Lancastre. Il fallut attendre 1483, lorsque Henry Tudor battit Richard III à Bosworth et se fit sacrer roi sous le nom de Henri VII pour que le pays retrouvât un semblant de paix et de prospérité.

L'apparition de la poudre à canon sous le règne des Tudor marqua la fin des châteaux forts : ils devenaient indéfendables. Ce fait, conjugué avec une économie plus stable, donna naissance au « premier grand âge de l'architecture domestique » en Angleterre. On se mit à construire de jolies maisons de campagne, et leur taille variait selon le rang et la richesse du propriétaire. L'amour inné des Anglais pour tout ce qui se rapporte à la terre et à la vie au grand air les incita à entourer ces demeures de jardins d'agrément. Cependant les jardins des Tudor et de l'époque élisabéthaine étaient embrouillés, artificiels, bornés. Ils servaient de « pièces de plein air » où l'on vivait et se distrayait comme à l'intérieur de la maison.

Dans un pays aussi privé de soleil que l'Angleterre, on peut s'étonner de trouver une si grande quantité de tonnelles. Il est vrai que ces tonnelles constituent aussi bien un abri contre la pluie. C'est du reste pour éviter la boue que la plupart des allées sont dallées. Les refuges de verdure, en outre, offrent une intimité que l'on n'a pas toujours entre quatre murs, surtout, comme c'était le cas à l'époque, quand une nombreuse famille, des parents de passage et des invités envahissaient sans cesse votre demeure.

Henri VIII lui-même, soupirant après un tendre tête-à-tête, rencontrait volontiers Anne Boleyn dans les abris discrets de ses jardins royaux. Les jardins « à canevas » ou « à tapisserie » aux dessins compliqués firent leur apparition en Angleterre au commencement du XVIe siècle. Cet engouement dura plus de cent ans. Bacon (1561-1626) professait un certain dédain à l'égard de ces créations tarabiscotées[1]. Mais son opinion s'exprima un siècle après la création de cette sorte de jardin, et alors qu'ils étaient devenus extrêmement artificiels, avec, au lieu de fleurs, des terres de couleur, du charbon et de la poussière de brique pour combler les vides.

Les dessins de la tapisserie étaient compliqués. Leurs formes géométriques se trouvaient généralement contenues à l'intérieur d'un quadrilatère. Des plantes courtes et drues servaient de matériaux de base : thym, hysope, romarin, statice, germandrée et, plus tard, buis nain déroulaient leurs entrelacs en rubans, dessins héraldiques ou autres créations pleines de fantaisie. Certaines des plantes utilisées étaient difficiles à tailler. Les « matériaux morts », tels que brique pilée et terres colorées, offraient moins d'inconvénients. Les horticulteurs de l'époque avaient tous leur opinion personnelle en matière de bordures et autres : certaines plantes avaient le tort de pourrir trop tôt, d'autres attiraient les escargots. En revanche, les bordures de tuiles se révélaient « cassantes » et avaient besoin d'être sans cesse réparées.

Les fleurs « admises » à décorer les jardins de tapisserie des Tudor étaient peu variées, et elles se fanaient généralement à la fin de l'été. En revanche, les dessins obtenus à partir de plantes toujours vertes égayaient l'œil d'un bout de l'année à l'autre. Quand on les taillait, à la belle saison, ces végétaux avaient en outre l'avantage d'embaumer l'air.

Jardins compartimentés ou à canevas dessinés par Lawson dans *The Country Housewife's Garden, 1638.*

Il importe de souligner que, à cette époque, l'atmosphère était empuantie de façon permanente, les règles d'hygiène — tant individuelle que publique — étant des plus succinctes. Aussi les gens s'attachaient-ils beaucoup à compenser les mauvaises odeurs par le parfum suave des fleurs et des plantes.

L'une des plus belles réalisations de l'époque des Tudor fut Hampton Court, dessiné pour le cardinal Wolsey, à une trentaine de kilomètres de Londres, au bord de la Tamise. De conception médiévale tout d'abord, avec ses murs, ses bancs moussus, ses berceaux de verdure et ses allées, l'immense domaine s'enrichit par la suite de parterres de tapisserie. Le château lui-même était un des plus admirables échantillons de l'architecture Tudor. Le cardinal Wolsey le meubla en outre de façon somptueuse. Et il s'offrit le luxe d'avoir de l'eau potable et des salles de bains.

Planches

139. La haie d'ifs du château de Sudeley, dans le comté de Glouceſter, a été taillée et modelée de façon à former une galerie couverte à laquelle on peut accéder. Son épaisseur en fait une promenade idéale par tous les temps : on s'y trouve à l'abri aussi bien du soleil que de la pluie. Le château servit de résidence à la veuve de Henri VIII, Catherine Parr. Au début du XIXe siècle il fut acheté par un particulier, et le jardin fut replanté. *(British Travel Association.)*

140. Le jardin élisabéthain de New Place, à Stratford-on-Avon évoque une tapisserie. Traditionnellement, les tapisseries anglaises emplissaient un espace carré. Si le canevas était divisé en quatre, les quartiers offraient un dessin différent. Le jardin ci-contre, très typiquement, eſt entouré d'une clôture. *(Truſtees and Guardians of Shakespeare's Birth-place.)*

141. Labyrinthe bas décrit par Thomas Hyll en 1563 : il reſtait vert tout au long de l'année. *(New York Public Library.)*

142. Hatfield House, dans le Hertfordshire, résidence du marquis de Salisbury, possède des jardins bien dessinés et un très beau labyrinthe d'ifs taillés à hauteur d'homme. *(Aerofilms Ltd.)*

143. Peinture d'Holbein représentant Henri VIII et sa famille. A gauche, on aperçoit ses animaux héraldiques dans les jardins de Whitehall. *(British Miniſtry of Works.)*

144. Jardin de tapisserie, avec buis taillé, du pavillon de chasse d'Élisabeth Ire, à Great Foſters, Eghamshire. *(J. Arthur Dixon.)*

145. Haddon Hall offre des jardins en terrasse, avec une baluſtrade de pierre et un escalier typiquement italiens. *(British Travel Association.)*

146. L'un des deux pavillons de plaisance qui terminent les terrasses à baluſtrade de Montecute House, dans le Somerset. *(The National Truſt.)*

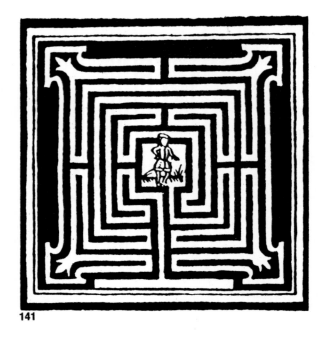

141

143

142

144

145

146

Par malheur, la richesse et la puissance de Wolsey ne l'empêchèrent pas de tomber en disgrâce. Henri VIII, furieux de voir qu'il refusait de l'aider à divorcer de Catherine d'Aragon, dont il voulait se séparer pour épouser Anne Boleyn, provoqua sa chute et, après avoir confisqué Hampton Court, s'appropria purement et simplement cette magnifique demeure, qu'il convoitait du reste depuis longtemps.

En possession de son nouveau jouet, le roi apporta de grands changements dans les jardins d'Hampton Court ainsi que dans le parc. Il y installa des jeux, une chasse, un « bowling » (jeu de quilles sur gazon) et même un jeu de paume. Le Nouveau Jardin correspondait à l'actuel Jardin privé. Quant au jardin d'Anne Boleyn (le jardin du bassin), il subsiste encore de nos jours dans toute sa beauté. Les jardins royaux étaient jalonnés de sortes de totems : pieux terminés par des animaux héraldiques. Les barrières protégeant les massifs de fleurs étaient peintes en vert et blanc, couleurs de la maison des Tudor.

L'innovation la plus spectaculaire fut sans doute la « montagne » que le roi fit élever dans le Nouveau Jardin, tout près du fleuve. Cette éminence fut plantée de végétaux à feuilles persistantes : ifs, cyprès, etc. On en gravissait la pente en suivant un petit sentier bordé de romarin. Au sommet se dressait un coquet pavillon à trois étages, aux larges baies vitrées, chapeauté d'une coupole de plomb. Les environs immédiats de la « montagne » s'égayaient d'animaux de bois peints, de cadrans solaires en bronze et de massifs de fleurs de printemps et d'été, des roses principalement.

A cette époque, les décorations en buis (taillés en formes fantastiques) connaissaient une grande vogue. On utilisait aussi l'if, qui poussait lentement, durait longtemps et se prêtait à toutes les fantaisies. William Lawson, l'auteur de *The Country Housewife's Garden,* préconise des formes d' « hommes armés pour la bataille » et de « chiens en train de courir ».

Bacon, lui, repousse les tableaux taillés dans le genévrier et autres enfantillages. Il préfère de petites haies basses, semblables à des bordures, avec des pyramides gracieuses. Il loue aussi une « jolie montagne, parfaitement circulaire », des bassins aux eaux transparentes et quelques ornements bien choisis tels que bordures de marbre, verres de couleur et statues basses.

En ce temps-là, les labyrinthes étaient également fort à la mode. Ils étaient alors purement décoratifs. Certains décrivaient leurs méandres au ras du sol. D'autres poussaient à hauteur d'homme, et, dans ceux-ci, les gens se perdaient parfois. En général, on trouvait au centre une éminence, une tonnelle ou encore une simple roseraie.

Les haies étaient aussi très répandues. Elles bordaient souvent les jardins les plus humbles. Dans ce cas-là, elles étaient taillées bas..., pour que la maîtresse de maison puisse faire sécher son linge dessus.

Sous le règne d'Élisabeth Iʳᵉ (1558-1603), les jardins prirent un aspect étudié. On les orna de fontaines. Celles-ci alimentaient un bassin, avec ou sans statues. Quelques-unes, imitant les fontaines italiennes, étaient source (si l'on peut dire!) de plaisanteries d'un goût douteux. La reine en avait fait placer une à Hampton Court « pour mouiller les visiteurs ».

La mode, venue du continent, d'installer des pièces rustiques dans les branches des arbres eut un certain succès en Angleterre. On utilisait généralement pour cela des tilleuls. Celui de Cobham fut décrit par Parkinson comme une remarquable réussite à trois étages.

Autre innovation à signaler dans le jardin élisabéthain : le pavillon d'été, ou salle à banquets, destiné aux festins et au délassement. Style et matériaux du pavillon correspondaient à ceux de la demeure principale. On le meublait d'une table et de sièges, et l'on s'y réfugiait « loin de la famille et des invités » quand la maison devenait trop bruyante.

De fort beaux échantillons de ces « pavillons de détente » se dressent dans des coins écartés du parc de Montacute, dans le Somerset. Là, de vastes pelouses et des haies d'ifs à différents niveaux rappellent le style italien. A noter la formule de bienvenue qui orne le portail d'entrée : « Quiconque franchit cette porte n'arrive jamais trop tôt et ne repart jamais trop tard. » (« Through this wide opening gate, none come too early, none return too late. »)

Comme Montacute, Haddon Hall, dans le comté de Derby, rappelle la manière italienne, encore que le style des deux châteaux diffère grandement. Haddon Hall lui-même appartient au type médiéval, mais ses jardins évoquent les xvie et xviie siècles. Leurs terrasses abruptes sont reliées par un imposant escalier et protégées par de belles balustrades de pierre.

Le changement le plus spectaculaire dans les jardins de la période élisabéthaine, cependant, fut l'importation massive de fleurs jusqu'alors inconnues. En ce temps-là, les navigateurs anglais exploraient le Nouveau Monde et en rapportaient des plantes nouvelles qui faisaient les délices des jardiniers.

A la même époque, des réfugiés flamands, fuyant leur pays, où les Espagnols régnaient en maîtres, apportèrent dans leurs bagages des fleurs originaires d'Asie Mineure et depuis peu introduites en Europe. Petit à petit, les jardins s'enrichirent si bien d'espèces nouvelles qu'ils devinrent pour de bon des jardins de fleurs. John Parkinson fut le premier à mentionner les nouvelles espèces et à signaler « les fleurs qui réjouissaient le plus la vue » : jonquilles, fritillaires, jacinthes, lis, tulipes, anémones, oreilles-d'ours, jasmin blanc et jasmin jaune, cyclamens, roses de Noël, lauriers-roses, campanules, *Pyracantha* ou buisson-ardent, etc.

Plantes à bulbe et à rhizome constituaient la plus grosse partie des importations florales de cette époque. John Rea (1676) indique la meilleure façon de les planter : « Au coin de chaque massif, les couronnes impériales, les lis martagons et autres fleurs à longue tige. Au milieu du massif, de grosses touffes de pivoines et, autour, plusieurs sortes de cyclamens, puis des jonquilles et des jacinthes. Les plates-bandes rectilignes recevront des tulipes. Renoncules et anémones réclament également d'être cultivées à part. »

Les deux John Tradescant, le père et le fils, furent les premiers véritables pionniers de « l'exploration végétale ». Le père, jardinier de Lord Salisbury, puis, plus tard, de Charles Ier, voyagea sur le continent pour s'y procurer « des racines, des fleurs, des graines, des arbres et des plantes ». Il n'acheta pas moins de treize mille oignons de tulipe en Hollande. Ses tournées en Russie et en Algérie enrichirent les jardins de Lord Salisbury, et, au retour d'une véritable expédition en Virginie, il embellit son jardin personnel, à Lambeth, d'arbres rares tels que le tulipier, l'érable rouge et le

Le jardin de Wilton, dessiné en 1615 par Isaac de Caus pour le comte de Pembroke. *(Metropolitan Museum of Art, Dick Fund, 1927.)*

platane américain. Quant au fils, envoyé en Virginie par son père en 1637, on lui doit l'introduction en Europe de l'ancolie rouge, de la *Lobelia cardinalis,* du phlox, du lupin et de l'aster.

Parmi les autres espèces américaines importées au xviie siècle, citons l'hélianthe, le souci, les belles-de-nuit, l'onagre commun et le yucca.

Aux jardins d'alors les arbres fruitiers ajoutaient la beauté de leurs fleurs : entre autres l'amandier, le pommier, l'abricotier, le cerisier, le prunier, le pêcher et le poirier.

L'amour des fleurs est un grand niveleur de peuples. Depuis la haute noblesse jusqu'aux plus humbles, chacun travailla à s'entourer de gais coloris et de suaves odeurs. Le moindre cottage offrit bientôt aux passants son jardinet de façade, étalé comme un tapis. Certes, les fleurs attiraient les insectes; mais les insectes attiraient les oiseaux, qui ajoutaient un attrait supplémentaire au charme du jardin.

Les « pièces d'extérieur » des jardins Tudor et élisabéthains offraient, en marge de leurs richesses, une possibilité d'intimité qui disparut lorsque l'influence de la Renaissance italienne et le « grand style » français gagnèrent l'Angleterre. Reflétant l'influence étrangère, les jardins anglais du milieu du xviie siècle élargirent leur horizon et devinrent plus classiques. Cependant ils conservèrent leurs belles pelouses vertes qui les paraient mieux encore que les statues et les vases de pierre à la mode.

En 1615, un admirable jardin fut dessiné pour le comte de Pembroke, à Wilton, par l'architecte flamand Isaac de Caus. Son célèbre parterre de broderie est le premier indice de l'influence continentale en Angleterre. Le style français devait l'emporter sur tous les autres après 1660, quand Charles II rentra de son exil à la cour de France. Wilton, de nos jours, est fort différent de ce qu'il était autrefois, car, au xviiie siècle, le « culte du paysage » détrôna ses précédents agencements pour les remplacer par des pelouses et un décor de « bord de l'eau » sans le moindre classicisme.

229

Planches

147. Compton Wynyates, dans le Warwickshire. D'anciens spécimens d'ifs taillés décorent les jardins. *(Noel Habgood.)*

148. Un tapis de jacinthes sauvages, à l'Arbo-

retum de Winworth, dans le Surrey. *(National Trust. Photo Pamela Booth, F.R.P.S.)*

149. Le pont à galerie de Wilton, construit en 1737. *(Photo de l'auteur.)*

230

A Hampton Court, d'autre part, le roi Charles, aidé de jardiniers français, commença à imiter ce qu'il avait admiré aux Tuileries. Trois grandes avenues de tilleuls furent tracées à travers le parc, derrière le château. La patte d'oie qu'elles formaient aboutissait à un grand canal. Par la suite l'endroit fut encore embelli, un peu à la manière de Versailles, pendant le règne de Guillaume III. Un parterre de broderie fut dessiné par George London et Henry Wise, deux sommités du temps, qui s'inspirèrent d'un ouvrage d'André Mollet publié en 1651. Précédemment, Charles II avait invité Le Nôtre à travailler pour lui, mais il n'est pas certain que Le Nôtre ait apporté sa contribution personnelle aux jardins royaux anglais. Il n'en reste pas moins que son influence se fait sentir à Saint James's Park, Whitehall Park, Hampton Court, Bushy Hill Park, Greenwich Park et Chatsworth.

Guillaume III et la reine Mary étaient férus d'horticulture. Ils se procurèrent de nombreuses plantes exotiques, tant de Virginie que des îles Canaries. Après la mort de la reine, Guillaume apporta de nouvelles transformations à Hampton Court. Le labyrinthe date de cette période, ainsi que les buis taillés à la manière flamande. L'influence des jardins hollandais et de la grandeur française était alors prépondérante. Bientôt les nobles se mirent à imiter leur souverain. « Beaux jardins et belles maisons » se mirent à surgir de terre un peu partout.

Exemple fameux d'un « jardin hollandais » : celui de Levens Hall (Westmorland). On l'appelle ainsi parce qu'il s'étend sur une petite surface (et que les Hollandais passent pour fort économes de leur sol) : il est composé d'arbres taillés et de massifs de fleurs. Les formes taillées ont atteint malheureusement des proportions gigantesques qui empêchent de saisir l'harmonie du plan primitif.

L'idéal français de vastes espaces et de jardins symétriques séduisit la plupart des riches propriétaires terriens anglais. Les beaux domaines qu'ils créèrent alors nous sont dépeints dans l'ouvrage agrémenté de gravures de Léonard Knyff et de Jan Kip : *le Nouveau Théâtre de la Grande-Bretagne*. La plupart de ces domaines, disparus aujourd'hui, comprenaient des pelouses coupées de larges allées. Une haute grille de clôture et un portail en défendaient l'entrée. Devant la maison, un gazon généralement agrémenté d'un bassin avec jet d'eau et statues. Sur l'arrière, des parterres de broderie et des bosquets.

La tendance au naturel sous toutes ses formes fut soulignée par l'homme d'État Sir William Temple, qui, en 1685, écrivait à quel point il aimait « l'asymétrique liberté de l'art oriental, comme celle des jardins chinois ». A cette époque, l'Angleterre était mûre pour un changement de style dans l'horticulture, car il n'y avait que trop longtemps qu'elle se cantonnait dans des plans trop bien tracés. En 1712, Joseph Addison s'en prend violemment aux ridicules formes taillées dans les arbres. Il condamne avec sévérité les tortures que l'on fait ainsi subir aux végétaux et proclame que, pour sa part, il préfère mille fois un verger en fleurs à de faux paradis terrestres trop bien fignolés.

Alexander Pope, de son côté, se gaussa de « l'art de tailler Adam et Ève dans les ifs ». Ces critiques, directes ou malicieuses, aidèrent l'horticulture à évoluer vers le naturel et à imiter la campagne. A cette époque, nombreux étaient les gentilshommes qui visitaient l'Italie. Tous rapportaient la vision inoubliable de la campagne romaine qu'ils ne rêvaient plus que d'imiter.

Le XVIIIᵉ siècle fut un âge d'or pour l'Angleterre. Il produisit de grands peintres,

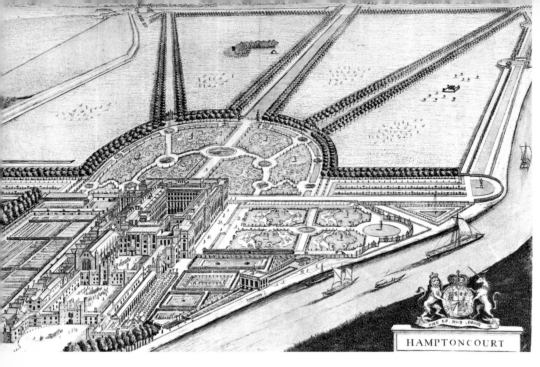

HAMPTONCOURT

des écrivains, des artistes en tout genre, architectes compris. Dans le domaine de l'horticulture, cette période se distingue par les noms de Charles Bridgeman, William Kent, Lancelot (« Capability ») Brown, Sir William Chambers et Humphrey Repton.

William Kent (1685-1748) était, en dépit de ses humbles origines, un véritable homme du monde. Il fut à la fois peintre, décorateur, dessinateur de mobiliers (contemporain de Thomas Chippendale) aussi bien que créateur de demeures de style classique et de grands parcs. C'est lui qui dessina, entre autres, ceux de Chiswick House, de Stowe et de Rousham. De nos jours, Chiswick House a été restauré et appartient au ministère du Travail. Ce qui subsiste du décor original a été soigneusement conservé. Le parc est largement ouvert au public.

La seule œuvre de Kent subsistant dans son intégrité absolue est Rousham, près d'Oxford. On y voit, dominant la rivière Cherwell, des terrasses d'herbe en pente douce et un décor qui s'apparente tout naturellement au paysage alentour : petite vallée boisée, étangs, cascades et grotte. Si l'on en croit Walpole, les paysages de Kent étaient « rarement majestueux », mais ils combinaient agréablement les effets de lumière et d'ombre. Kent possédait aussi l'art de meubler l'horizon avec des « objets adéquats ». On trouve entre autres à Rousham un colosse de pierre, un pont, un temple, un vieux moulin. Kent allait si loin dans sa recherche du détail « vrai » qu'il n'hésita pas à planter des arbres morts dans les jardins de Kensington pour « donner un plus grand air de réalité au décor ».

Kent, par ailleurs, proscrivait l'eau en « canaux, bassins et fontaines ». Il leur préférait « un gentil ruisseau libre de serpenter à son gré ». Ce verbe « serpenter » évoquait à lui seul un paysage peu régulier. Peut-être est-ce pour cela que l'on a appelé Serpentine le faux cours d'eau qui traverse Hyde Park, à Londres.

La mode était donc à l'irrégulier et à la fantaisie. Vers le milieu du XVIIIᵉ siècle, le jardin le plus discuté d'Angleterre était celui de Stowe, dans le comté de Buckingham, où Lord Cobham agrandit son parc, qui passa ainsi de vingt-huit acres à cinq cents et subit sans cesse des modifications. Stowe devint bientôt une sorte de domaine typique de cette période. Des centaines de gens venaient le visiter. Parents et amis de Lord

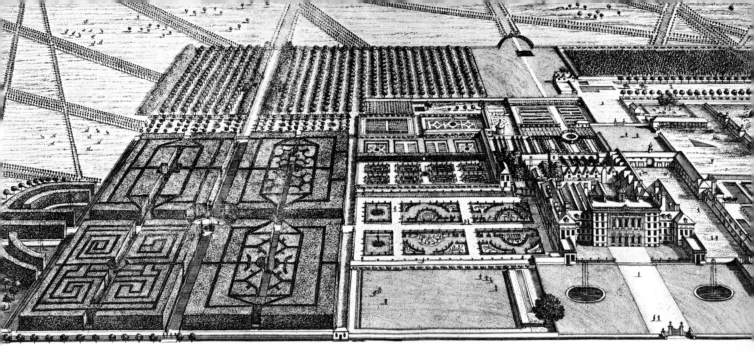

Cobham y séjournaient parfois des semaines entières. On se promenait dans les allées.
On pique-niquait sur les pelouses.

Stowe avait jadis eu un jardin clos classiquement modelé. Mais, dès le début du
XVIIIe siècle, Charles Bridgeman le libéra de ces liens conventionnels. Il permit aux arbres
de pousser à leur gré, perça des avenues droites aboutissant à des temples, des colonnades,
des obélisques et dessina de vastes plans d'eau miroitants d'inspiration plus française
qu'anglaise. Sir John Vanbrugh, architecte du palais de Blenheim, usa lui aussi de
rotondes, pyramides, ponts et pavillons.

La principale transformation que Kent fit subir à Stowe fut la création de deux lacs
artificiels, de forme irrégulière. « Capability » Brown acheva de faire de Stowe un décor
naturel idéal. Après ce beau succès, « Capability », que l'on surnommait ainsi parce
qu'il trouvait toujours de nouvelles possibilités d'embellissement des jardins, devint
très vite le jardinier paysager le plus à la mode en Angleterre. Tous les hauts personnages se le disputaient. Il travailla ainsi à Warwick Castle, à Longleat, à Chatsworth, à
Cliveden et à Blenheim. Le roi l'appréciait fort. Son œuvre est restée presque intacte
jusqu'à nos jours. Seul changement qu'y apporta le XIXe siècle, ses décors s'enrichirent
de plantes et d'arbres nouvellement importés, comme le hêtre pourpre et les rhododendrons.

Quand le palais de Blenheim (don de la reine Anne au duc de Marlborough) fut
terminé, en 1722, sa façade sud dominait un immense parterre dessiné par Henry Wise.
Ce jardin grandiose était à l'échelle du château lui-même. Le pont monumental de
Vanbrugh, qui enjambait un canal reliant deux lacs, était cependant hors de proportion
avec l'insignifiante étendue d'eau au-dessous : il ne contenait pas moins de trente-trois
pièces. L'œil avisé de « Capability » Brown trouva remède à ce défaut : il éleva le niveau
du cours d'eau et fit en sorte que les salles occupant le rez-de-chaussée du pont fussent
immergées. Cela réduisit la hauteur apparente du pont et rétablit un harmonieux équilibre. A noter aussi, à Blenheim, la superbe avenue d'arbres plantés de manière à reproduire la disposition des troupes à la bataille de Blenheim. Cette avenue aboutissait à
une colonne de la victoire surmontée d'une statue en plomb du duc.

Planches

150. Le jardin du château de Warwick est prolongé par un merveilleux parc planté par « Capability » Brown. Les superbes cèdres du Liban, qui atteignent une taille imposante, font un cadre merveilleux aux paons qui circulent en liberté comme de vivantes fleurs aux coloris précieux. *(British Travel Association.)*

151. Le jardin d'arbres taillés du XVIIe siècle de Levens Hall (Westmorland) possède une renommée mondiale. C'est un exemple remarquable de l'art topiaire. *(British Travel Association.)*

152. La fontaine de l'Empereur, à Chatsworth, dans le comté de Derby, lance ses eaux à soixante-dix mètres de hauteur. Au premier plan, fontaine du Cheval marin. *(British Travel Association.)*

153. Vue du lac de Blenheim Palace, avec son île et le pont en partie immergé. *(Country Life Ltd.)*

154. Lacs du parc de Stourhead, dans le Wiltshire. L'un des premiers et des plus charmants exemples qui nous soient parvenus du « style jardin paysager anglais ». *(British Travel Association.)*

155. La pagode chinoise des jardins de Kew fut conçue par Sir William Chambers pour la mère de George III. *(British Travel Association.)*

152

153

Le génie de Brown consistait non seulement à concevoir, mais à réaliser. Aucun problème ne l'embarrassait jamais. Il n'hésitait pas à saper une colline ou à jeter bas des constructions s'il le fallait. Sa simplicité étudiée aboutissait toujours à l'expression d'une beauté magistrale et subtile. Aujourd'hui encore, à deux siècles de distance, son nom reste évocateur de ce legs précieux : le « parc paysager » anglais du XVIIIe siècle.

Cependant, à côté de dessinateurs de jardins aussi fameux que Brown, d'autres artistes, plus modestes, travaillaient eux aussi à embellir les jardins d'Angleterre. C'est ainsi que le jardin de Wilton fut adapté à la mode du XVIIIe siècle par le propriétaire, Lord Henry Pembroke, qui fut son propre jardinier. Ce parc magnifique est actuellement ouvert au public toute l'année.

De nombreux connaisseurs, toutefois, considèrent que Stourhead — qui se trouve dans le Wiltshire, comme Wilton — demeure le plus parfait exemple du pittoresque « parc paysager ». Ce fut à coup sûr l'un des premiers du genre. Son propriétaire, Henry Hoare, l'agrémenta d'un lac avec petite île, de forêts largement boisées et d'éléments décoratifs : panthéon, temple de Flore et temple du Soleil.

Peu à peu, le « style paysager » se divisa en deux catégories. Une première école opta pour la « distillation » poétique de « Capability » Brown, une autre pour les créations pittoresques et romantiques des autres dessinateurs de jardins. La seconde école truffait les parcs de « surprises » telles que temples grecs et romains, statues et autels, ruines gothiques, grottes, pagodes chinoises, tombes d'animaux et ermitages. Certains propriétaires allaient même jusqu'à engager les services d'un... ermite! Walpole s'indignait de pareilles niaiseries.

Quand le culte du classique et du gothique commença à décliner, on puisa une nouvelle inspiration aux sources chinoises. A cette époque-là, des voyageurs revenant d'Orient en rapportaient des objets d'art et des plantes. La mode fut alors aux « chinoiseries ».

A Kew, le plus grand et un des plus intéressants jardins londoniens, où les parents de George III avaient fait dessiner un très beau parc, Sir William Chambers agrémenta celui-ci d'ornements au goût du jour. Il y plaça entre autres une pagode à dix étages que l'on peut encore voir actuellement. Le bord de la toiture de chaque étage s'ornait d'un dragon incrusté de verre qui brillait au soleil.

Ce même Chambers accorda grand intérêt aux fleurs, un peu oubliées dans la décoration des parcs. Mais, en ce domaine, ses idées ne firent pas beaucoup d'adeptes à l'époque.

La rage du « jardin paysager » et du « jardin anglo-chinois » envahit l'Europe entière. Les nouvelles formules plaisaient fort à la plupart des horticulteurs, rassasiés de la grandeur française et découragés par les difficultés à créer des terrasses et des jeux d'eau à l'italienne. Elles plurent également à tous ceux qui étaient en quête d'originalité. Marie-Antoinette fit faire le ravissant « parc anglais » du Petit Trianon. Près de Paris on put aussi admirer les « jardins anglais » de Bagatelle, et, dans la capitale, le parc Monceau. Ailleurs, les grands de ce monde et des romantiques comme Gœthe adoptèrent le nouveau style avec enthousiasme. On se mit à éditer des livres exaltant les idées anglaises sur l'embellissement des parcs et prônant l'utilisation de « monuments funéraires pour animaux favoris », ponts, fausses ruines et pavillons.

Ces projets de Batty Langley pour
un jardin idéal sont une tentative
de rupture avec la tradition et une
symétrie trop absolue. Mais on les
sent un peu forcés. Tiré du livre
de Langley, *New Principles of Gardening*, Londres, 1728. *(Bibliothèque
Pierpont Morgan.)*

La résidence de Chatsworth en son état primitif, avant sa transformation par « Capability » Brown.
Cette gravure de Knyff et Kip nous en montre le même dessin que celle de Badminton.

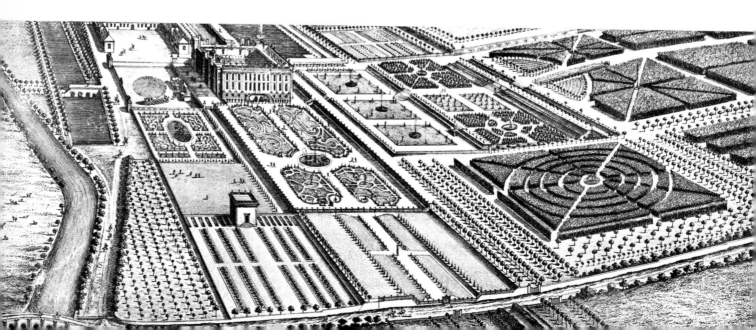

Gravure tirée d'un livre français publié par J. G. Grohmann et présentant des innovations en matière d'ornements pour jardins. Ici, monuments élevés à la mémoire de chiens fidèles. (*Metropolitan Museum of Art. Photo Roche.*)

Les jardins de Kew au XVIIIᵉ siècle. Le cygne géant n'est autre que le bateau de plaisance du roi George III, qui aimait remonter la Tamise à son bord. Gravure de William Woollett. (*Kennedy Galleries, Inc.*)

On peut dire qu'Humphrey Repton (1752-1818) succéda à Lancelot Brown quand celui-ci disparut, en 1783. En dehors de ses travaux horticoles, il publia de petits livres dans lesquels il présentait ses plus remarquables « transformations » : on y voyait, sous forme d'aquarelles, ses paysages « avant » et « après ». Tout en suivant de près le ſtyle cher à Brown, Repton en critiquait certains points. Ainsi il n'aimait pas les palais et les villas « au milieu de pelouses nues ». Personnellement, il introduisait souvent une terrasse à baluſtrade dans le décor de façade d'une maison. Puis, à l'inſtar de Chambers, il relança la mode des fleurs. Cette fois on le suivit.

Les jardins de fleurs de Repton sont reſtés célèbres. Il en étudia avec soin les effets.

249

Planches

156. Bordure de plantes vivaces *(mixed border)* à Clare College, Cambridge. *(Country Life Ltd.)*

157. Parterres du XIXe siècle, à Narewood House. Malgré ses allées encailloutées qui rappellent les XVIIe et XVIIIe siècles, ce jardin a acquis un caractère victorien grâce à l'apport floral. *(British Travel Association.)*

158. Deux splendides *mixed borders* de plantes vivaces encadrent cette allée de gazon, à Ravelston House, en Écosse, *(Scotsman Publications, Ltd.)*

159. Les jardins de Lord Aberconway, à Bodnant, dans le Denbigshire (Galles) se classent parmi les plus beaux du royaume britannique. Trois générations ont travaillé à les enrichir d'une grande diversité de plantes. Dans ce parc immense, on a su ménager des jardins d'une extrême discrétion. *(British Travel Association.)*

156

157

A Woburn, par exemple, il créa une roseraie et dessina un jardin à l'américaine, un « jardin chinois », plus un jardin privé nettement séparé des autres.

Comme des plantes nouvelles ne cessaient d'arriver de l'étranger, l'une des préoccupations de l'horticulteur du XVIIIᵉ siècle fut d'aménager des serres pour la conservation de ces précieuses espèces. On en trouva bientôt partout. La botanique « exotique » devint à la mode.

A la fin du XVIIIᵉ siècle, les apports étrangers tels que rhododendrons, magnolias, camélias et cytises ajoutèrent à la magnificence des jardins. Des asters de Chine, les chrysanthèmes, les zinnias, les dahlias, les phlox, la verge-d'or et le lupin étaient fréquemment utilisés. Enfin le saule pleureur de Chine et le tulipier d'Amérique fournirent des éléments nouveaux et appréciés de décoration horticole.

Le XIXᵉ siècle, lui aussi, s'intéressa passionnément à l'art des jardins, ainsi qu'en témoignent quantité de livres publiés sur le sujet. En 1804, la London Horticultural Society fut fondée, pour devenir par la suite la célèbre Royal Horticultural Society. Son premier jardin expérimental fut ouvert à Londres. Un siècle plus tard, la Société prit possession du domaine de Wisley, dans le Surrey, dont les jardins — ouverts au public — couvrent actuellement quatre-vingts hectares. Chaque année, au printemps, la Société tient à Londres une exposition horticole réputée : l'Exposition florale de Chelsea.

Lorsque la reine Victoria monta sur le trône, en 1837, l'art des jardins était en pleine évolution. Le changement découlait de deux faits nouveaux : le romantisme, d'une part, et, de l'autre, les progrès de l'industrie, qui mettaient en péril le goût artistique. Les romantiques, fortement influencés par l'œuvre de Sir Walter Scott, développèrent à outrance le « parc paysager » en soulignant le style gothique des pavillons et des tonnelles. Ils s'engouèrent également de jardins rustiques où troncs d'arbre et branches entrelacées étaient de règle. Quelques-uns tentèrent de recréer les anciens parterres de fleurs à partir d'espèces nouvelles. Des fleurs à tige courte étaient plantées si drues que les parterres ressemblaient à des tapis étalés sur le sol. Ces décorations, genre tapis ou mosaïque, sont toujours en vogue dans les jardins et parcs publics du monde entier.

Les jardiniers de l'époque victorienne utilisèrent des fleurs aux gais coloris. Parmi les plantes à bulbe citons les jacinthes, les tulipes, les renoncules; parmi les plantes vivaces à tige courte le *Phlox subulata,* la *Primula vulgaris,* les *Dianthus* (œillets), les bugles, la pensée, les pâquerettes, le myosotis, le thlaspi (corbeille-d'argent). Les plus brillantes couleurs étaient fournies par les plantes annuelles telles que les soucis, les lobélias, les calcéolaires, la sauge écarlate, la verveine et les géraniums. Les serres permirent d'avoir des parterres fleuris tout au long de l'année.

Cependant il y avait désaccord entre les amateurs de « nature pure » et ceux qui disposaient géométriquement les fleurs dans des massifs. Ces deux tendances devaient fatalement aboutir à un compromis. En 1883, William Robinson écrivit *le Jardin de fleurs anglais (The English Flower Garden),* basé sur l'observation, l'expérience et la philosophie d'un homme qui avait une profonde connaissance des beautés horticoles du monde entier. Il visait à intégrer au paysage les fleurs et les arbustes au feuillage coloré. Et cela de la manière la plus naturelle qui soit. Il désirait aussi respecter l'individualité de chaque plante en la mettant en relief du mieux possible.

Autre innovation du siècle, l'art de laisser se développer en colonies serrées jonquilles

« Capability » Brown et Humphrey Repton travaillèrent tous deux à Longleat, dans le Wiltshire. D'après Repton, « ce parc magnifique était ouvert à tous : on pouvait y venir avec des provisions ». Gravure tirée de *Fragments on the Theory and Practice of Landscape Gardening*, 1816. *(Pennsylvania Horticultural Society Library.)*

et jacinthes sauvages dans les bois. Par ailleurs, azalées et rhododendrons trouvaient une place de choix dans la décoration des jardins de Bodnant (Pays de Galles), des Savill Gardens (parc de Windsor) et de Leonardslee, dans le Surrey, pour ne citer que les plus célèbres.

Un décor approprié agrémenta aussi, à cette époque, les résidences construites en montagne ou à proximité de plaines marécageuses. Rocs et gentiane bleue ornèrent les premières. Des plantes de marais décorèrent les secondes.

Gertrude Jekyll compte parmi les plus célèbres élèves de William Robinson. Ses livres de jardinage firent sa renommée autant que ses réussites horticoles. Son propre jardin, à Munstead Wood, dans le Surrey, eut une influence capitale sur les amateurs de beauté. En choisissant plantes et fleurs avec le plus grand soin, Gertrude Jekyll prouva que l'on pouvait obtenir des effets saisissants dans un espace relativement restreint. Elle combinait l'harmonie des couleurs et le cadre sans jamais donner l'impression d'avoir procédé par calcul.

Bien des gens passionnés d'histoire recherchent les jardins d'autrefois authentiques ou reconstitués. Ils ne peuvent cependant s'empêcher, comme beaucoup d'autres, de béer d'admiration devant certaines réalisations du XXe siècle. Les bordures de fleurs « à l'anglaise » sont universellement appréciées. Et que dire de la beauté des jardins de fleurs des cottages typiques de la campagne anglaise ? Quant aux sous-bois d'outre-Manche, ils sont un enchantement pour les yeux, particulièrement au printemps. Quoi de plus ravissant qu'une clairière égayée de jonquilles jaunes, de jacinthes bleues, de rhododendrons, de lis et de roses ?

Ainsi que le déclare Gertrude Jekyll, « un jardin doit avant tout reposer l'esprit et alléger le cœur »[2], réjouir l'âme et provoquer au fond de l'être un élan de reconnaissance pour le créateur de tant de merveilles.

256

XI   *Jardins d'Amérique*

La vie des pionniers américains exigeait un courage à toute épreuve et un labeur quotidien harassant. Les premiers colons se rendirent vite compte que, s'ils voulaient s'établir solidement à l'endroit qu'ils avaient choisi, il leur fallait endurer les rigueurs du climat, l'isolement, un travail sans relâche, la maladie et des périls mortels, parmi lesquels le voisinage immédiat des Indiens n'était pas le moindre.

Ces gens intrépides, cependant, ne se laissèrent pas abattre. Ils luttèrent pour un avenir meilleur, soutenus par une foi ardente. Les impérieuses nécessités de l'heure ne leur laissaient aucun répit. Il fallait construire des maisons, défoncer le sol, dresser des barrières, semer, récolter, etc. Toutes ces occupations ne permettaient pas la création de jardins d'agrément. Il fallut attendre la génération suivante, lorsque les communautés furent bien organisées, les plantations assises et qu'un flot de nouveaux venus arriva de l'Ancien Monde. Chaque groupe d'étrangers apportait avec lui ses traditions horticoles et aussi de précieux paquets de graines, des racines et des boutures.

Au début du XVIIe siècle, deux importantes colonies s'établirent en Nouvelle-Angleterre : celle, notamment, des pélerins de la Plymouth Company, arrivés à bord du *Mayflower* et qui débarquèrent sur la côte de ce qui devait devenir par la suite l'État du Massachusetts. C'étaient des puritains venus d'Angleterre et qui aspiraient à pratiquer en paix leur religion. Ces malheureux, que des vents contraires avaient empêchés d'atteindre les rivages de la Virginie, durent grelotter sur place un hiver entier avant de pouvoir planter la moindre chose. Finalement, au mois de mars 1621, ils purent semer leurs graines. Beaucoup de boutures étaient devenues inutilisables, mais les graines tinrent leurs promesses. De leur côté, les Indiens, plus intéressés qu'agressifs, montrèrent aux colons comment faire pousser du blé.

Planches

160. Jeu de quilles dans un jardin hollandais. Peinture de Pieter de Hooch, 1660. De petits jardins classiques comme celui-ci s'étendaient derrière les demeures d'Amsterdam. *(Cincinnati Art Museum.)*

161. Maison et Jardin de Stephen Fitch à Old Sturbridge Village dans le Massachusetts. Des plantes potagères et condimentaires, protégées par une clôture de planches, poussent près de la porte de la cuisine. *(Old Sturbridge Village.)*

162. Bordures de plantes vivaces au long de la grande allée de Van Cortland Manor, à Croton-on-Hudson. *(Sleepy Hollow Restorations.)*

163. Reconstitution d'un jardin du XVIIIe siècle à la Maison de la Mission à Stockbridge, Massachusetts. *(Paul-E. Généreux.)*

164. Le jardin d'agrément de Fowell-Waller House, à Williamsburg. Plantes bulbeuses, roses, arbrisseaux et arbustes décoratifs le fleurissent constamment. *(Colonial Williamsburg.)*

165. Le palais du gouverneur, à Williamsburg. Au-delà de la grille en fer forgé on aperçoit le jardin, où ne poussent que des arbres, des buissons et des fleurs connus à l'époque coloniale *(Colonial Williamsburg.)*

166. Le labyrinthe de houx, dans les jardins du palais de Williamsburg. *(Colonial Williamsburg.)*

167. Des plates-bandes de fleurs aux couleurs vives bordent les pelouses vertes de la maison George Wythe, à Williamsburg. Des haies de buis séparent le jardin d'agrément du potager (à droite) et des dépendances (à gauche). L'allée centrale aboutit à une légère construction de bois (au premier plan). *(Colonial Williamsburg.)*

168. Jardin d'herbes et de plantes condimentaires de la maison John Blair, à Williamsburg. Le dessin du parterre permet de contreplanter, selon les saisons, des plantes à fleurs. Les sentiers de briques rendent la circulation aisée. *(Colonial Williamsburg.)*

169. Le jardin de réception, derrière le palais du gouverneur, à Williamsburg. Les gardiens et gardiennes de cette ville-musée sont en costume d'époque. *(Colonial Williamsburg.)*

170. Des terrasses herbeuses des jardins de Middleton on découvre une jolie vue sur les lacs et le moulin; au-delà on aperçoit les rives de l'Ashley et les marécages. C'est par la rivière que l'on peut accéder le plus facilement à la plantation. *(Louis H. Frohman.)*

171. Façade ouest du « Monticello » de Thomas Jefferson. On aperçoit une partie du jardin de fleurs, longé par une large allée. *(Louis H. Frohman.)*

172. George Mason, auteur de la Déclaration des Droits de la Virginie, fit construire Gunston Hall entre 1755 et 1758. Outre une belle vue sur le Potomac, le domaine bénéficie d'un cadre pittoresque. Ses jardins s'agrémentent d'immenses parterres répartis sur deux niveaux *(Board of Regents, Gunston Hall.)*

173. Le jardin classique derrière la maison de Mount Pleasant, à Fairmount Mark, Philadelphie. Une allée centrale sert d'axe principal à un plan symétrique et aboutit à un pavillon chinois (à gauche). *(Philadelphia Museum of Art.)*

174. Un « jardin-salon » (reconstitué) de la Nouvelle-Angleterre : Général Salem Towne mansion, Old Sturbridge Village. Le buis, survivant rarement à des hivers très rudes, a été remplacé ici par des cognassiers du Japon. *(Old Sturbridge Village.)*

175. Gore Place, à Waltham, Massachusetts, reflète les paysages idéaux du dessinateur de jardins anglais Humphrey Repton. Le gouverneur Christopher Gore commença à bâtir cette demeure en 1805. L'aménagement du parc ne prit pas moins de vingt-deux ans. *(Paul-E. Généreux.)*

176. Le jardin d'agrément d'Adams House, à Quincy, Massachusetts, a défié les âges. Depuis sa création, en 1731, son tracé est resté le même. *(Adams National Historic Site. Photo Fasch Studio.)*

177. Jardins de Moffat-Ladd, à Portsmouth, New Hampshire. Un escalier de gazon, datant de plus d'un siècle, conduit à une pergola ombragée. *(Douglas Armsden.)*

161

162

163

170

171

172

173

174

175

176

La vie s'organisa. Les hommes travaillaient aux champs. Le jardin potager, proche de la cuisine, devint l'affaire des femmes au même titre que le rouet et le berceau.

A l'époque, le jardin, d'une manière générale, s'étendait devant la maison d'habitation quand il ne la flanquait pas. Bien entendu, il bénéficiait du maximum d'ensoleillement. Chaque parcelle était délimitée par une simple barrière en bois dans laquelle on avait pratiqué une porte. De petits sentiers permettaient de circuler entre les carrés. Là poussaient toutes sortes de plantes utilitaires; les roses, les pivoines, les roses trémières, les lis, les iris et les pavots y étaient également cultivés. Comme, d'autre part, les plantes à feuillage persistant figuraient à leur côté, il est hors de doute que ces jardins avaient un grand charme et ressemblaient fort à des jardins d'agrément.

Les colonies d'Amérique se développèrent rapidement. En dix ans (de 1630 à 1640) quinze à vingt mille puritains émigrèrent au Massachusetts. En 1628, John Endicott, à la tête d'un petit groupe, avait fondé Salem. En 1630, John Winthrop, élu gouverneur de la Massachusetts Bay Colony, débarqua avec un grand nombre d'autres colons. Ces nouveaux venus fondèrent Boston et les villes alentour.

Certains de ces colons appartenaient à la haute société. Les jardins qu'ils aménagèrent furent le reflet de ceux des manoirs anglais, majestueux et symétriques. En général, une allée centrale partageait le jardin en deux. Des murs, des haies ou de jolies barrières délimitaient des carrés de fleurs ou « tapisseries », soulignés d'arbustes verts bien taillés.

Les Hollandais qui émigrèrent en Amérique contribuèrent beaucoup au développement de l'horticulture dans ce pays. Dès le début du XVIIe siècle, en effet, on les considérait comme les meilleurs jardiniers d'Europe. Ils savaient assurément tirer le maximum du sol, n'avaient pas leur pareil pour soigner les arbres fruitiers, et leur amour des fleurs était légendaire. Ils s'établirent à Manhattan, à Long Island et dans la vallée de l'Hudson, où ils plantèrent des vergers et créèrent de fort beaux jardins autour de leurs fermes. Ils firent venir en abondance poires, pêches et cerises, mais leur principale réussite fut certainement la pomme, qui ne se contentait pas d'être un mets de choix, mais leur procurait en outre le cidre, boisson ordinaire des colons. En revanche, il faut signaler que les essais pour cultiver la vigne restèrent pratiquement infructueux.

Dès 1629, trois ans après avoir acheté Manhattan aux Indiens, les colons instaurèrent dans la région — l'île de Manhattan non comprise — une sorte d'État féodal : les terres étaient travaillées par des fermiers et quelques esclaves. Une aristocratie terrienne se forma ainsi; elle devint toute puissante à l'époque coloniale et subsiste encore de nos jours. Lorsque les Anglais prirent pacifiquement la relève dans le pays, en 1664, cette sorte de féodalité ne disparut pas pour autant. Actuellement, entre New York et Albany, un grand nombre de ces vastes domaines de jadis se sont transformés en magnifiques résidences appartenant en général à des magnats de l'industrie comme les Vanderbilt.

Les colons hollandais, cependant, riches de leur expérience horticole, ne tardèrent pas à planter aussi des fleurs pour le seul plaisir des yeux. Ils manifestèrent dès le début un intérêt très vif pour les végétaux d'Amérique, dont ils appréciaient les formes et les coloris. Grâce à Adrien van der Donck, nous savons que, parmi les fleurs importées par les Hollandais, figurent de nombreuses variétés de roses, de pivoines et de roses trémières, d'églantine, différentes sortes d'œillets et de tulipes, des fritillaires (couronnes

Planches

178. Le jardin d'agrément de Powell-Waller House, à Williamsburg. Les massifs de tulipes sont cernés de buis et entourés d'une bordure de briques, caractéristique de la mode des XVIIe et XVIIIe siècles. *(Gottscho-Schleisner.)*

179. Dans les jardins George Washington, à Mount Vernon, on trouve les fleurs connues des jardiniers du XVIIIe siècle. La propriété et les jardins entourant la maison de George Washing-ton furent préservés grâce à l'action efficace de Mrs Ann Pamela Cunningham, qui organisa, durant la guerre civile, une association de sauve-garde. *(Mount Vernon Ladies Association.)*

180. Résidence d'été, dans le New Jersey. La pelouse s'agrémente, à la mode victorienne, d'un massif rond de fleurs parmi lesquelles dominent les cannas rouges, les salvias et les coleus. *(Photo Roche.)*

impériales), des lis blancs, des anémones, des violettes, des soucis, du lilas. Au nombre des plantes américaines qu'ils appréciaient, van der Donck cite *l'Hélianthus,* les lis rouges *(Lilium Philadelphicum et Lilium Canadensis),* les lis martagons et de nombreuses espèces de campanules.

Les familles modestes plantaient des fleurs à côté de leur cuisine, mêlées aux plantes utilitaires et condimentaires. Les gens riches, eux, avaient des jardins ornés de parterres semblables à ceux que l'on trouvait dans les belles résidences de Hollande. Le jardin de Peter Stuyvesant, riche propriétaire des fabriques de cigarettes, en est un remarquable exemple.

Une très intéressante carte de New Amsterdam (qui devint par la suite New York), connue sous le nom de plan Costello ou carte Costello, fut dessinée cinq ans après les descriptions de jardins faites par van der Donck. Elle nous montre un grand nombre de petits jardins classiques..., mais peut-être exagère-t-elle un peu, car, à l'époque, il devait y avoir bien des surfaces non cultivées et non bâties.

Cependant, tandis que les colons du Nord se débattaient avec leurs problèmes économiques, les gens de Virginie s'appliquaient à faire pousser du tabac. Ils y réussirent si bien que la Virginie fut le premier État à se développer harmonieusement. Dans le Sud, la vie s'organisa tout autrement que dans le reste du pays. Il ne faut pas perdre de vue que les colons de la Nouvelle-Angleterre, coupés de la Grande-Bretagne par les dissensions religieuses, ne firent pas de commerce avec elle pendant de nombreuses années. Aussi, jusqu'au XVIIIe siècle, les progrès industriels du Nord furent-ils lents.

Les premiers colons de Virginie, qui arrivèrent à Jamestown en 1607, étaient des « gentlemen » bien décidés à être leur propre patron. Les débuts furent rudes. Comme ils étaient venus sans femme, ils prirent épouse sur place. Ils luttèrent avec courage, triomphèrent des fièvres comme des Indiens et réussirent même à survivre à de terribles périodes de famine. Le succès couronna leurs efforts.

Certains planteurs déjà établis aidèrent généreusement les nouveaux venus, entre autres un certain John Rolfe, qui rêvait d'accroître la production de tabac du pays. C'est lui qui élimina le « tabac indien » pour lui substituer le « tabac espagnol », qu'il fit venir de Curaçao et de Trinidad par le truchement d'un capitaine de navire. A partir de ce moment la colonie prospéra : l'Angleterre était son principal client. Le sol était riche, le tabac venait bien. Un premier contingent de vingt esclaves nègres, achetés à un trafiquant hollandais, fournit de la main-d'œuvre. Les femmes s'occupèrent des jardins. En 1639, une loi prescrivit à tous les colons de Jamestown possesseurs d'au moins cent acres de terrain (quarante hectares) d'aménager des jardins potagers et des vergers clôturés en marge de leur plantation de tabac.

Jusqu'à ce que la guerre de Sécession éclatât (1861), le Sud vécut paisiblement. Il était constitué par de vastes plantations dont dépendait son existence même. Tout reposait sur le travail des esclaves noirs. Chaque plantation représentait une véritable communauté se suffisant à elle-même. On y trouvait, outre la maison d'habitation, d'innombrables dépendances telles que cuisines, laiterie, entrepôts à provisions, cabanes à fumer la viande. Un peu plus loin se dressaient les maisonnettes des esclaves, entourées des écuries, des étables, des poulaillers, et aussi des cases réservées aux charpentiers, aux forgerons et autres ouvriers indispensables à la vie de la collectivité.

La plupart de ces plantations avaient un débarcadère privé sur le fleuve ou la rivière proches. Cela leur était fort utile pour faire partir le tabac vers l'Angleterre et aussi pour recevoir des marchandises telles que soie, porcelaine, papier mural et meubles de luxe.

Le jardin, lui aussi, bénéficiait des importations. Bulbes, graines, buis nain et outils de jardinage étaient commandés en abondance à l'étranger. Cependant les décors de Virginie ne devinrent jamais très anglais, car les plantes locales étaient aussi décoratives que les autres. Les arbres du pays, en outre, étaient parmi les plus beaux du monde : le catalpa, le splendide magnolia du Sud aux feuilles toujours vertes *(Magnolia grandiflora)*, le chêne, le tulipier, le sycomore. Les uns portaient des fleurs magnifiques, les autres donnaient une ombre fraîche. Le tracé des jardins d'agrément, toutefois, évoquait la symétrie des jardins anglo-hollandais. Le buis, nain ou ordinaire, était fréquemment utilisé en bordures et en haies.

Au xviiie siècle, quand Williamsburg devint la capitale de la colonie de Virginie, nombreux étaient les planteurs ayant déjà fait fortune. Disposant alors de plus de loisirs, ils s'intéressèrent davantage aux jardins d'agrément. Restés en rapport avec l'Angleterre, leur mère-patrie, ils intensifièrent avec elle leurs échanges de graines et de plantes. A cette époque, les botanistes anglais étaient, du reste, les mieux approvisionnés d'Europe. Ils recevaient des « nouveautés » des quatre coins du monde. Les livres d'horticulture publiés à Londres ne se comptaient plus. Bientôt *le Bréviaire du jardinier (The Gardener's Dictionary)* de Philip Miller devint le livre de chevet de tous les Virginiens. Le *Traité de jardinage* de John Randolph lui succéda en 1775.

Bien avant la fin du xviiie siècle, cependant, l'Angleterre commença à rompre avec la forme trop classique de ses jardins. Les colons, eux, s'accrochaient aux anciennes traditions. Ils ne modifièrent donc pas le tracé de leurs jardins d'agrément, mais ils les égayèrent d'une plus grande diversité de fleurs. Les soucis français et africains furent particulièrement à l'honneur. De lointains pays — mais par le truchement de l'Angleterre — furent également importés l'amarante, l'aster de Chine, le pavot *(Papaver orientalis)*. Combinées avec des roses, des œillets et des pieds-d'alouette, ces fleurs formaient des ensembles ravissants. Les plantes d'Amérique les plus couramment utilisées dans l'ornementation étaient alors le coréopsis, la gaillarde, différentes variétés de phlox et les asters à floraison automnale.

Les échanges entre l'Angleterre et l'Amérique devinrent une véritable toquade qui ne se limita pas à l'envoi de graines et de plants, mais aussi à celui de véritables « bulletins horticoles ». Les amateurs de jardins ne se comptèrent bientôt plus. John Bartram, un fermier de Philadelphie, se fit naturaliste et explorateur. John Custis, haute personnalité de Williamsburg, se consacra à l'importation de plantes. De son côté, Peter Collinson, un riche marchand de laine londonien, se mit à collectionner avec ardeur les végétaux du monde entier. Bartram et Collinson ne se rencontrèrent jamais, ce qui ne les empêcha pas de nouer une solide amitié par correspondance... en échangeant, trente-huit années durant, des idées sur leur sujet favori.

Aujourd'hui, le Colonial Williamsburg, soigneusement restauré, reflète bien l'Amérique du xviiie siècle. Le passé y vit non seulement grâce au souvenir de Patrick Henry, Thomas Jefferson et George Mason, mais aussi parce que ses jardins, datant d'une époque

278

révolue, en prolongent jusqu'à nous l'émouvante beauté. En tête de ces jardins vient celui du palais du gouverneur, la plus belle habitation de toute la colonie.

S'occuper d'un jardin d'agrément est assurément l'un des meilleurs passe-temps qui soient. Il détend l'esprit. C'est en tout cas ce que pensait le premier président des États-Unis, George Washington. Amoureux passionné de son pays, il consacra de nombreuses années à Mount Vernon, domaine situé au bord du Potomac, et qu'il avait hérité de son demi-frère en 1754. En vue d'embellir cette propriété, Washington se procura tous les manuels de jardinage qu'il lui fut possible d'acquérir. Ses carnets personnels sont bourrés de notes relatives aux arbres fruitiers, aux fleurs et autres plantations dont il rêvait. Quand ses fonctions le tenaient éloigné du domaine, il ne cessait de s'en inquiéter par lettre. Et, chaque fois qu'il en avait le loisir, il se réfugiait à Mount Vernon, dont la beauté paisible lui procurait la détente qui lui était nécessaire.

Thomas Jefferson, lui aussi, était féru de jardinage. Il eut la chance de pouvoir réaliser l'un de ses rêves d'enfance, se faire construire une belle demeure au sommet d'une petite montagne boisée. En 1768, après avoir préparé le terrain, il fit bâtir Monticello. Arbres, arbustes et plantes l'ornèrent selon un « style nature ». Le potager-verger fut un modèle du genre. Devenu président, Jefferson ne dédaignait pas de se faire envoyer à Washington d'énormes cageots pleins des produits de son jardin. Le côté floral n'était pas négligé pour autant : les parterres de Monticello s'ornaient de pavots, d'œillets, de jacinthes, de tulipes, d'anémones doubles, de renoncules, etc.

Après la mort de Jefferson, le domaine fut malheureusement vendu. Aujourd'hui, cependant, la maison, son superbe mobilier, les vieux arbres et les parterres reconstitués font de Monticello l'un des trésors les plus appréciés de l'Amérique.

La Virginie ne fut pas le seul État à vivre de plantations. Le Maryland devint vite célèbre par ses vergers. Plus au sud, la Caroline et la Georgie se lancèrent dans la culture du riz et de l'indigotier d'abord, du coton ensuite.

Au nombre des jardins célèbres créés durant la période coloniale et qui subsistent encore de nos jours citons Middleton Place et Magnolia Gardens (jadis Drayton Hall).

Les plus grands changements apportés aux jardins du Sud survinrent à la fin du XVIIIe siècle, quand André Michaux arriva de France pour se procurer des plantes de la Caroline du Nord et de la Caroline du Sud. En contrepartie il apportait le *Camellia Japonica*, l'*Azalea indica* et de nombreux arbustes inconnus en Amérique.

Charleston, de son côté, était une ville passionnée d'horticulture. Tous ses citoyens en vue tinrent à posséder un magnifique jardin. L'endroit est toujours réputé pour ses splendeurs horticoles.

Dans le Nord, faisant pendant aux planteurs du Sud, les riches marchands de Philadelphie et de Boston étaient désireux d'entourer leurs demeures de jardins d'agrément en rapport avec leur rang social. Philadelphie, dotée par William Penn de cinq jardins publics, était à la pointe du progrès. En 1784, David Landreth fonda la première maison de graines un peu importante d'Amérique. Autour de Philadelphie, les jardins se multiplièrent. On trouvait dans ces domaines, avec prédominance du « style anglais », une aimable combinaison de pelouses, d'arbres, de buissons et de parterres, le tout enjolivé de statues, de vases, de buis taillé, d'allées, d'étangs, de grottes et de fontaines. Dans les serres on cultivait avec soin les plantes tropicales.

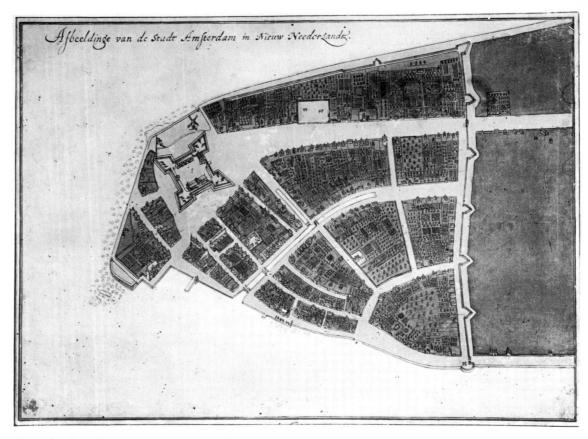

Carte de Costello représentant New Amsterdam (aujourd'hui New York), en 1660. On aperçoit avec netteté une série de petits jardins réguliers. Wall Street d'aujourd'hui se situe là où se trouvait à cette époque la limite nord de la ville. *(Museum of the City of New York.)*

Au nombre de ces magnifiques demeures, il faut citer Lemon Hill et Mount Pleasant, dont les terrasses descendaient jusqu'au bord de l'eau.

Les fermiers et les habitants des petites villes de la Nouvelle-Angleterre continuaient, pour leur part, à mélanger jardin potager et jardin d'agrément, comme le faisaient les pionniers qui s'établissaient à l'ouest de l'État de New York, en Pennsylvanie et dans l'Ohio. L'aspect des jardins était tout autre à Boston, Newport, Salem, Portsmouth et autres grandes cités où se bâtissaient de vastes et belles maisons.

Dès la fin du XVIIIe siècle, cependant, il devint courant de séparer le potager du jardin de fleurs. Celui-ci, uniquement destiné à réjouir les yeux, était généralement entouré d'une coquette barrière. Il orna le devant des maisons cependant que le jardin utilitaire se cachait derrière.

Malheureusement, dans le Nord, la courte durée des étés limitait la floraison. De même, la rigueur des hivers empêchait la bonne venue du buis. En revanche, le lilas supportait bien le climat : cette fleur ne tarda pas à devenir typique de la Nouvelle-Angleterre.

A Boston, deux propriétés lancèrent la vogue des belles demeures qui devaient se bâtir par la suite au cours du XVIIIe siècle : celles de Thomas Hancock et celle d'André Faneuil, un huguenot français. La maison Faneuil, un peu en retrait de la rue, avait un jardin de fleurs en terrasse et bénéficiait d'une vue splendide. Elle s'entourait de grilles en fer forgé ornées de boules dorées et s'agrémentait d'une serre en forme de pagode.

Plusieurs maisons de la Nouvelle-Angleterre du XVIIIe siècle subsistent encore. Un

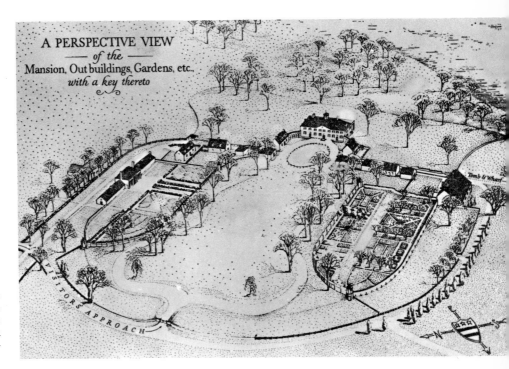

La minutieuse reconstitution de Mount Vernon, telle qu'elle existe aujourd'hui, est due au zèle d'une habitante de Charleston, Ann Pamela Cunningham. (*Mount Vernon Ladies Association.*)

plus grand nombre, hélas! a disparu. Certaines aussi ont été irrémédiablement négligées ou encore si bien transformées par leurs derniers propriétaires que leur cachet initial n'est plus qu'un souvenir. Les jardins ont souvent subi des transformations analogues, mais des organismes de sauvegarde s'emploient à les reconstituer dans leur style primitif.

Au début du XIXe siècle, deux propriétés, encore bien conservées, faisaient l'orgueil de Waltham, dans le Massachusetts. Toutes deux s'inspiraient du « style paysager » anglais. George Washington, Thomas Jefferson et John Penn avaient déjà fait d'heureuses expériences en fait de « paysages ». Il restait à Théodore Lyman et au gouverneur de Boston, Christopher Gore, de compléter leur œuvre en dotant un décor « naturel » d'eau, de prairies et d'arbres habilement placés. Lyman loua les services d'un dessinateur de jardins anglais, William Bell, fidèle disciple d'Humphrey Repton. La propriété, baptisée « The Vale », doit sa célébrité aux talents combinés du jardinier, du propriétaire et de l'architecte Samuel McIntire, de Salem. La maison, toute blanche, fut édifiée sur une colline en pente douce. Elle domine des prés, un parc peuplé de cerfs et un étang. Derrière la demeure s'étendait un jardin d'agrément, avec une large pelouse sillonnée d'allées capricieuses et plantée d'arbres sélectionnés. Si l'on en croit une liste établie alors, ces arbres ne comprenaient pas moins de trente espèces différentes à l'époque. De nos jours il ne reste de cette splendeur primitive que deux pins et un impressionnant hêtre pourpre. Tout au bout de la pelouse, un long mur de brique réunit d'une part les serres et, de l'autre, un charmant pavillon blanc à colonnes. Au-delà de ce mur se cache le jardin potager.

L'autre résidence, Gore Place, réunit tous les éléments romantiques que l'on peut désirer : coins boisés, pelouses immenses, parc, coteaux. L'endroit domine deux mares et aussi la Charles River. Christopher Gore, qui avait séjourné à Londres de 1796 à 1804, éprouvait une grande admiration pour les domaines anglais et les paysages de Repton. De retour en Amérique, en 1805, il se dépêcha de faire construire une belle maison de style classique, en brique. Puis il s'employa, vingt-deux ans durant, à transformer le terrain qui l'entourait en un parc de type anglais. Tout récemment, cette propriété historique fut sauvée de la pioche des démolisseurs grâce à l'intervention d'amis des beaux-arts qui se sont employés à la restaurer le plus fidèlement possible.

Autre exemple digne d'illustrer l'art horticole du début du XIXe siècle, l'Hermitage, près de Nashville, dans le Tennessee. Cette demeure fut celle du président Andrew

Monticello, tel qu'il existe encore aujourd'hui. (*Thomas Jefferson Memorial Foundation.*)

Jackson. Le jardin fut dessiné en 1819 pour son épouse, Rachel, par un Anglais, William Frost. Ses parterres fleuris, qui couvrent une vaste surface, contiennent des plantes bulbeuses fleurissant au printemps et aussi des pivoines, des iris, des lis, des roses, des viburnums (boules-de-neige) et des myrtes.

Au cours du XIXe siècle, l'histoire de l'horticulture, en Amérique, se déroula parallèlement à celle de la France et de l'Angleterre. Ces trois pays subirent les mêmes influences. La vague romantique bouleversait toutes les formes de l'art. Les échanges d'un pays à l'autre hâtèrent encore le mouvement.

A l'époque, un horticulteur de talent, Andrew Jackson Downing, de Newburgh (New York), tenta de brider les fantaisies excessives en établissant quelques règles de base.

Il déclare entre autres, dans un ouvrage paru en 1841, qu'un « jardinier paysager doit viser à écarter l'anti-naturel et à préserver l'esprit du décor... Il doit aussi, avec habileté, éveiller l'émotion ». D'après lui il n'y avait que deux moyens valables pour dessiner un paysage : suivre « l'école de la grâce » ou « l'école du pittoresque ». Dans la première façon, il fallait créer des contours aux lignes courbes : sol ondulant, arbres à feuillage épais et retombant, allées et avenues aux lignes fluides, lacs et ruisseaux aux rives mollement arrondies ou incurvées. Par ailleurs, l'ordre et la netteté devaient régner. « La maison devait être de style classique..., égayée par des vases gracieux et autres harmonieux accessoires. »

L'« école pittoresque », elle, dessinait des contours « d'une certaine irrégularité, avec des surfaces relativement abruptes et brisées ». Le sol pouvait aller de l'uniformité la plus plate au chaos le plus complet « avec vallons profonds, blocs de rochers, falaises et ravins ». Les plantes utilisées devaient être de forme bizarre et les arbres vieux, tourmentés, avec une écorce rugueuse. Dans les domaines pourvus de lacs, les coins romantiques devaient être préservés. Quant aux maisons, il fallait les construire sans symétrie, dans le style des vieux cottages anglais ou des chalets suisses. Il était également indispensable que les vases, les pavillons et le mobilier de jardin fussent rustiques, si possible en bois grossier et en écorce.

Des théories de Downing les générations suivantes devaient retenir ce précieux enseignement : il est toujours bon de donner une unité au décor, d'en varier les détails et, par-dessus tout, de sauvegarder l'harmonie du paysage, de manière à ne pas choquer.

Downing était particulièrement intransigeant sur la manière de planter les arbres; il recommandait de les grouper à intervalles irréguliers, d'en varier la hauteur et l'agencement. Rien de plus laid, à son avis, que des arbres du même âge poussant en même temps en cercles bien ronds « comme des puddings sortant d'un même moule ». De plus, les arbres devaient servir de toile de fond à la maison et orner les pelouses. Downing contribua ainsi beaucoup à la popularité du hêtre pourpre, du saule pleureur, du ginkgo, du tulipier, du chêne, de l'érable du Japon et autres arbres qui ornent encore les beaux domaines d'autrefois.

Downing considérait le jardin de fleurs comme un élément décoratif indispensable à la maison. Seulement, il ne lui réservait qu'une place limitée dans son plan d'ensemble. Il divisait cette sorte de jardin en trois groupes. Le « jardin de fleurs architectural » consistait en parterres réguliers et en allées avec, au centre, un cadran solaire ou une fontaine. Le « jardin de fleurs irrégulier », aux contours pleins de fantaisie et à bordures d'arbustes, était l'antithèse du précédent : les massifs floraux affectaient les formes les plus variées. Le troisième type de jardin, dit « à l'anglaise », consistait en parterres de fleurs curvilignes, dont l'ensemble formait un dessin entier.

Downing préconisait de planter dans chaque section les variétés de fleurs « les plus éclatantes ». Il visait ainsi à obtenir un effet de tapisserie chatoyant. Il recommandait en outre de les choisir avec soin pour que leur floraison « dure la saison entière ». C'est ce que nos jardiniers modernes cherchent aussi à obtenir. Downing conseillait encore de placer des plantes à la floraison décorative « dans tous les coins du jardin ». Pour les plates-bandes, il désirait « les plus petites le plus près possible de l'allée, celles de taille plus élevée derrière et enfin, au-delà, les plus hautes ». Cette disposition servit de base à la théorie de la bordure herbacée *(mixed border)* que William Robinson formula en Angleterre vers 1880.

Planches

181. Une vue des Cypress Gardens (jardins des Cyprès), au nord de Charleston, Caroline du Sud. *(Gottscho-Schleisner, Inc.)*

182. Élément typique des innombrables plantations du Sud : Ce *Quercus Virginiana* (chêne de Virginie), dans l'avenue conduisant à Mulberry Castle, près de Charleston, en Caroline du Sud. Des avenues semblables, bordées d'arbres magnifiques, sont souvent, hélas! les seuls témoins des

belles plantations d'autrefois, dévastées par la guerre civile. *(Ronald Allen Reilly.)*

183. Jardin californien du XXe siècle, dessiné par Thomas Church. *(Rondal Partridge.)*

184. Dans cette résidence de Palm Springs, Californie, le jardin, dessiné par Raymond Loewy, pénètre dans le living room. *(Raymond Loewy.)*

181

Bien que Downing fût un fervent admirateur du « style naturel paysager anglais », lui-même n'eut le loisir de visiter la Grande-Bretagne que bien après avoir publié son fameux ouvrage : *Traité sur la théorie et la pratique des jardins paysagers adaptés à l'Amérique du Nord. En vue d'améliorer les résidences de campagne.*

Il travaillait activement à dessiner les jardins des belles résidences de la baie d'Hudson quand sa carrière fut tragiquement interrompue par la mort : le vapeur sur lequel il remontait le fleuve explosa. Downing n'avait alors que trente-sept ans, mais l'œuvre qu'il laissait derrière lui inspira le premier — et certainement le plus remarquable — créateur de parcs publics, Frederick Law Olmsted, qui, avec Calvert Vaux, gagna le concours pour l'établissement du plan de Central Park, à New York.

Le XIXe siècle fut assurément une époque privilégiée pour les amateurs d'horticulture. Les voiliers commerçant avec l'Extrême-Orient ramenaient de là-bas des kerrias, des forsythias, de la glycine. Du Mexique aussi bien que d'Amérique centrale et d'Amérique du Sud arrivaient des fuchsias, des dahlias, des cannas, de la verveine, des sauges, des pétunias. L'Afrique, de son côté, envoyait des lobélies, des géraniums et pélargoniums. Ces derniers ne tardèrent pas à occuper une place de choix dans les parterres de tapisserie, et cela tant dans les jardins privés que dans les parcs publics.

Les gens qui n'avaient pas les moyens de payer un jardinier pour entretenir de somptueux massifs de fleurs se contentaient d'un unique parterre rond, au milieu de leur pelouse ou au centre d'une allée circulaire; là ils obtenaient le maximum d'effet en plantant des cannas à longue tige et une bordure de sauge écarlate. Parfois d'autres plantes à tige courte remplaçaient la sauge ou alternaient avec elle.

De tels parterres colorés reléguaient souvent au « jardin de derrière » les arbustes décoratifs et les roses, charmantes, mais soudain démodées. Finalement, c'est dans ce « jardin de derrière » que les gens prirent l'habitude de flâner et de se réunir. Le « jardin de façade » subsistait seulement pour la parade.

Suivant le goût victorien de l'ornementation excessive, la fin du XIXe siècle encombra les jardins d'une profusion d'éléments décoratifs en fer forgé : fontaines surmontées de cupidons, urnes à géraniums, grillage pour treilles, sofas, tables, chaises, etc. Comme, à l'époque, le fer forgé était peu coûteux, ce fut une véritable débauche. Ne pouvant s'offrir des urnes, des statues ou des fontaines de pierre, les petits propriétaires achetaient du fer forgé, et encore du fer forgé. Il n'était pas rare de trouver sur les pelouses d'énormes animaux de fer, par exemple des cerfs.

A la fin de la période victorienne, un compromis intervint entre le « jardin paysager », trop romantique, et le jardin de fleurs, trop riche. Les jardins mixtes, pleins de fantaisie, et la « bordure herbacée » (à base de plantes vivaces) devinrent populaires des deux côtés de l'Atlantique.

Au XXe siècle, jusqu'à la seconde guerre mondiale, nombreux furent les grands jardins embellissant les vastes domaines épars sur tout le territoire des États-Unis. De précieuses collections de plantes servaient à composer des jardins classiques, généralement d'après des modèles français ou italiens, mais quelquefois aussi d'après des modèles anglais ou espagnols.

Certaines propriétés comprenaient une série de jardins de styles différents : par exemple un jardin classique, un « jardin japonais » et un parc boisé. Le plus souvent, toutefois,

L'Hermitage, près de Nashville, dans le Tennessee, était la propriété du président Andrew Jackson. Le jardin, dessiné en 1819 par l'Anglais William Frost, est planté de bulbes à floraison printanière et autres plantes décoratives. (*Tennessee Conservation Department.*)

Lemon Hill, sur la rive du Schuylkill peint par J. A. Woodside en 1807. Le coteau en pente douce exposé en plein midi offrait un site idéal. (*Historical Society of Pennsylvania.*)

une belle maison classique s'entourait d'un jardin proportionné à sa taille et sans style défini dans lequel on trouvait des plantes bulbeuses, des arbres et arbustes à feuilles persistantes, des fleurs annuelles, etc.

Au milieu du XXᵉ siècle, l'horticulture entra dans une nouvelle phase. Les conditions sociales avaient tellement changé que, même en ayant les moyens de payer la main-d'œuvre nécessaire à l'entretien d'un jardin moyen, il devenait quasiment impossible de se la procurer.

Aujourd'hui, seuls quelques rares privilégiés peuvent maintenir leur train de vie d'autrefois. Tout propriétaire modeste désireux d'avoir un jardin doit le « faire » lui-même. Et il s'estime très heureux s'il peut, de temps en temps, se procurer un jardinier à la journée. C'est ce qui explique que les jardins actuels sont, bien souvent, réduits à leur plus simple expression.

290

XII

Jardins de la Chine Ancienne

Sans une certaine connaissance de la peinture chinoise il est impossible de comprendre l'art horticole de la Chine. En effet, les éléments essentiels des jardins d'agrément de ce pays tirent presque toujours leur pittoresque de la peinture nationale.

D'une manière générale, en Chine, ce ne sont pas des horticulteurs professionnels qui créent les jardins. De tout temps on a laissé ce soin aux poètes, aux moines, aux lettrés qui, proches de la nature, surent traduire leurs sentiments profonds, en peignant d'abord, puis en imaginant des retraites de rêve.

La poésie, la peinture et l'art des jardins sont étroitement liés. Ces trois modes d'expression visent en effet à glorifier la beauté d'un paysage et à souligner les contrastes des décors naturels.

L'art horticole chinois ayant été introduit au Japon par les moines bouddhistes, on pourrait croire que les jardins japonais ne font qu'imiter les jardins chinois. Rien de plus faux. Il existe une énorme différence entre eux.

Les Chinois, en effet, combinent traditionnellement leurs végétaux avec l'eau et les rochers, mais ils ne disposent pas ces divers éléments selon des formules strictes et n'attachent pas une vertu symbolique à chacun d'eux, comme le font les Japonais. Par ailleurs, les jardins japonais forment un dessin complet. Les jardins chinois, eux, sont constitués par une série de dessins.

Les fondateurs des trois principales religions de la Chine — Confucius, Lao-Tseu et Bouddha — ont appris aux hommes à vénérer la nature et à s'identifier à elle du mieux possible. Puisque les ornements les plus frappants de la terre sont les rochers, les montagnes, les lacs et les rivières, on les représenta dans les jardins. Cette coutume fort

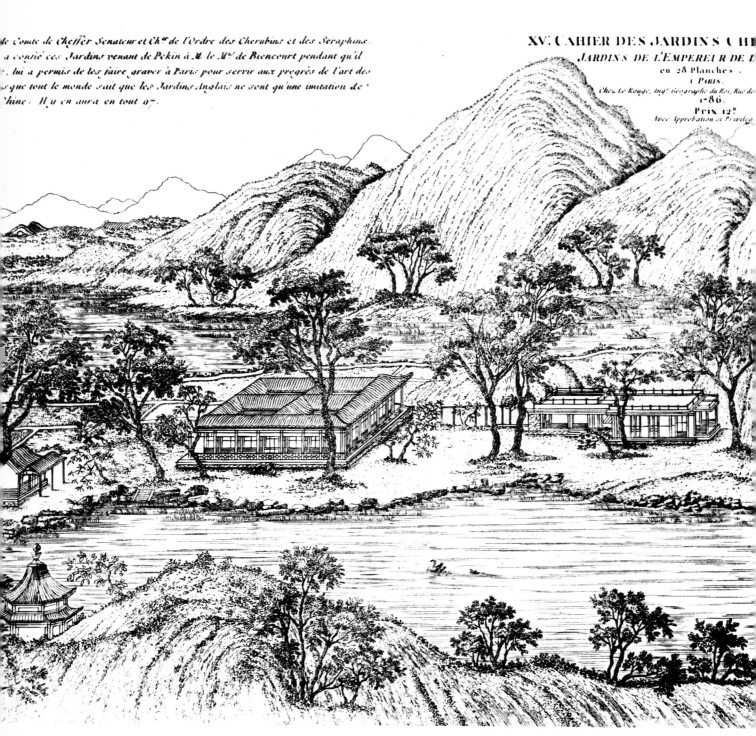

Le jardin idéal chinois était une combinaison *terre* et *eau* ; montagnes et rochers étant le squelette de la terre, et les rivières, ses veines et ses artères. Cette planche du XVIII.e siècle, qui représente les jardins de l'empereur de Chine, fut rapportée de Pékin pour « servir au progrès de l'art des jardins » en France. (*Roger-Viollet*.)

292

ancienne s'est perpétuée jusqu'à nos jours, l'esprit oriental étant, on le sait, fort traditionaliste. Par malheur, une autre coutume empêcha la conservation des beaux jardins d'autrefois. Quand un personnage de haute naissance ou un membre de la famille impériale mourait, son successeur ne s'installait jamais dans la maison du défunt. Cela explique que de splendides propriétés soient tombées dans l'abandon.

Les blocs rocheux, les pierres et les montagnes étaient considérés comme le squelette de la Terre. On comparait les cours d'eau à ses veines et à ses artères. Aussi ces divers éléments naturels étaient-ils grandement vénérés.

Aux yeux d'un Chinois, le jardin idéal est une combinaison « terre » et « eau ». Le mot caractérisant un paysage peint est *shan shui,* c'est-à-dire « montagne-eau », qui indique l'utilisation de ces deux éléments essentiels dans la composition du tableau.

Pour décorer leurs jardins, les Chinois, suivant la coutume, recherchaient des rochers aux formes fantastiques, usés par les eaux et irrégulièrement percés. Les plus appréciés provenaient de lacs et de rivières. On les dressait dans les jardins, telles des falaises en miniature, au bord d'un petit cours d'eau. Parfois aussi on les disposait de manière à constituer des grottes. Enfin, il n'était pas rare que l'on fichât en terre un rocher particulièrement original, tout seul dans un endroit où les visiteurs l'admiraient alors comme nous autres, Européens, pouvons admirer une belle statue.

Déjà à l'époque où régnait la dynastie des Han (207 av. J.-C.-220 ap. J.-C.), on trouvait dans les jardins chinois des rochers, des « montagnes », des collines artificielles et même des réserves de chasse rappelant celles de la Perse ancienne. Ce fut toutefois pendant la fameuse période Song (960-1280), où l'art pictural parvint à un haut degré d'épanouissement, que l'horticulture acquit une réelle importance.

Dans un poème du xie siècle fort significatif un grand personnage chinois, Hsi Makuang, chante « l'ermitage » où il avait plaisir à recevoir ses amis. Il nous le dépeint comme un vaste domaine orné de divers pavillons, avec étangs, cascades, îles, prairies et bouquets d'arbres. Ses grottes, ses cours d'eau, ses pavillons bâtis au sommet d'éminences, ses pins, sa forêt de bambous et ses saules pleureurs inspirèrent par la suite de nombreux peintres et dessinateurs de jardins.

Plus de deux siècles plus tard, Marco Polo fit à l'Occident étonné et quelque peu incrédule des descriptions enthousiastes de la Chine du Moyen Age. Il parla entre autres du grand empereur Koubilaï khan et de l'immense palais qui s'étendait, avec ses dépendances, à proximité de l'endroit où se trouve aujourd'hui Pékin.

Les récits du fameux voyageur prouvent que déjà à cette époque c'était une tradition bien établie que de décorer les jardins de tertres artificiels, de pavillons et de lacs. A une portée d'arbalète des murailles du palais, rapporte-t-il, se dressait « une montagne artificielle de terre recouverte des plus beaux arbres verts que l'on pût voir » et surmontée d'un pavillon.

« Chaque fois, écrit Marco Polo, que le khan apprend qu'un bel arbre pousse quelque part, il le fait extraire avec ses racines et la terre entourant celles-ci, si grand et lourd puisse-t-il être. L'arbre est alors transporté par des éléphants jusqu'à la montagne en question, où il prend place parmi les autres. Son manteau verdoyant a valu à cette montagne le nom de mont Vert... Non loin de la cité (de l'empereur) se trouve aussi une profonde excavation... C'est de là qu'on a tiré la terre dont est faite la montagne.

Planches

185. Un paysage de montagne, tel celui-ci, était le thème idéal que les Chinois essayaient de reproduire dans leurs jardins. Peinture de la période Ming. *(Freer Gallery of Art, Washington.)*

186. Ce kakémono nous révèle les charmants détails d'une habitation chinoise du XVIIIᵉ siècle. A gauche, un bananier aux larges feuilles fournit un élément décoratif qui contraste heureusement avec une pierre dressée. Un lattis fleuri de roses ressort sur un fond de verdure. Des saules gracieux se penchent sur un cours d'eau. Un pavillon bâti

sur l'onde domine une jonchée de lotus. *Dames à l'éventail* (copie d'après Chou-Fang. *(Metropolitan Museum of Art, Kennedy Fund, 1913.)*

187. Le palais d'été de l'empereur, peint par un artiste du début du XXᵉ siècle. *(Metropolitan Museum of Art, don de Franklin Jasper Walls.)*

188. *Joueuse de harpe dans un pavillon.* Peinture du XVIᵉ siècle due à l'artiste Ch'in Ying. *(Museum of fine Arts, Boston.)*

Ce trou a été comblé par les eaux d'une petite rivière et ressemble actuellement à un lac à poissons. Le bétail vient s'y désaltérer. »

Le voyageur vénitien parle également d'autres excavations et de canaux pleins d'eau, situés entre le palais de l'empereur et celui de son fils Chingis, que l'on avait creusés en vue de surélever la montagne. Ces pièces d'eau artificielles contenaient toutes des poissons. Elles s'égayaient de cygnes et autres oiseaux aquatiques. Marco Polo nous apprend encore que Koubilaï khan avait foi en ses astrologues qui affirmaient : « Ceux qui plantent des arbres sont assurés d'avoir la vie longue. » Voilà pourquoi, chaque fois que cela était possible, les routes de la Chine étaient bordées d'arbres qui donnaient de l'ombre l'été et permettaient de repérer le chemin quand les neiges hivernales avaient unifié le paysage.

En tant qu'administrateur de l'empereur mongol, Marco Polo parcourut toutes les provinces de la Chine. Dans ses Mémoires, il décrit avec enthousiasme « la noble et magnifique cité de Kin-sai » (devenue par la suite Hang-tchéou), ancienne capitale de la Chine du Sud qui fut rattachée aux autres territoires du khan en 1279. Là, raconte-t-il, se dressaient des « maisons de belle taille, entourées de jardins », et aussi un éblouissant palais appartenant au roi de cette province. La ville s'étendait tout près du fameux lac de l'Ouest que célébrèrent tous ceux qui le virent. Ce lac était environné de montagnes. Ses eaux avaient la transparence du cristal. Centre culturel, Hang-tchéou avait acquis une vaste renommée grâce à la beauté de ses maisons, qui étaient des « résidences-jardins » dans toute l'acception du terme.

Si nous en croyons Marco Polo, le palais royal comprenait dix cours. Chacune d'elles était entourée de cinquante habitations pourvues de jardins particuliers et reliées par des passages couverts et des colonnades. Ces magnifiques appartements, qu'éclipsaient encore en beauté ceux occupés par le roi et la reine, permettaient de loger « mille jeunes femmes que le roi gardait auprès de lui ». Toujours d'après Marco Polo, « ce sérail se prolongeait par des bosquets sans fin, des pièces d'eau, des ménageries et de superbes jardins pleins d'arbres fruitiers » (les pêches et certaine variété de poires étaient réputées pour leur grosseur prodigieuse).

Aucune personne de sexe mâle n'était autorisée à assister aux jeux que le roi organisait dans les jardins avec ses favorites. Et pour cause ! Il faisait courir les jeunes filles avec ses chiens, et lorsque ces demoiselles étaient lasses elles se retiraient dans les bosquets, ôtaient leurs vêtements et nageaient nues dans les pièces d'eau « cependant que le roi assistait à leur exhibition, dont il était l'unique spectateur ». Après ces aimables récréations, les jeunes personnes servaient parfois un repas sous les arbres à leur seigneur et maître.

Marco Polo fait remarquer que ces distractions, dans lesquelles se complaisait le souverain et qui le poussaient à négliger les intérêts du royaume, « aidèrent beaucoup le grand khan à le dépouiller de ses magnifiques possessions et à le jeter ignominieusement au bas de son trône ».

Jusqu'au XVIIe siècle, et à l'exception des descriptions que fit au XIIIe siècle Marco Polo de l'antique Cathay, l'Occident ignora à peu près tout de la Chine. En 1637, des navires britanniques atteignirent finalement ses côtes, et au siècle suivant Sir Williams Chambers passa de nombreuses années à parcourir le pays, notant ses impressions et

188

prenant force croquis. Ses observations, soigneusement conservées, servirent plus tard pour la création des jardins de Kew.

Quelques missionnaires jésuites marchèrent dans la foulée des explorateurs du XVIIe siècle. En 1743, le père Attiret fit une description colorée des jardins qui entouraient le palais d'été de l'empereur K'ien-Long, à une quinzaine de kilomètres de Pékin.

Ces jardins, aussi étendus, d'après lui, que la ville de Dijon, comprenaient d'immenses cours, des plantations d'arbres splendides, des jardins de fleurs. Les pavillons résidentiels entourant le palais lui-même s'ornaient de toits aux tuiles rouges, jaunes,

Fête des chrysanthèmes, peint par Hua Yen en 1753. Le neuvième mois lunaire, en Chine, était dédié au chrysanthème. Des fêtes spéciales étaient prévues pendant toute cette période. *(City Art Museum, Saint Louis.)*

CI-CONTRE : pagode et saules au bord d'un cours d'eau. Illustration tirée de *The Pictorial News,* 1870. *(Montclair Art Museum. Photo Roche.)*

bleues, vertes et violettes. Des collines artificielles dominaient des lacs sur lesquels on pouvait naviguer.

Le père Attiret nous parle de l'eau que l'on trouve partout, en bassins, en canaux, en étangs, des sentiers fleuris qui conduisent d'un vallon à l'autre, de galeries qui font cent détours pour embrasser un bosquet, un rocher, un lac, de toitures terminées par de capricieux frontons, de ponts en zigzag, de mille autres merveilles, enfin, propres à enchanter la vue.

Le principal attrait des jardins impériaux était peut-être que, malgré leur étendue, ils

Les principes opposés du Yin et du Yang sont ici mis en relief grâce aux contrastes entre la montagne et l'eau, respectivement représentées par les pierres érodées (au fond, à droite) et le bassin. Par ailleurs,

les bananiers à la tige très droite et le vieux pin noueux peuvent être comparés à la jeunesse et à la vieillesse. *(Freer Gallery of Art, Washington.)*

restaient « propres à l'intimité ». En effet, certaines parties se cachaient derrière des collines et permettaient de s'isoler.

Ces jardins étaient également remarquables par l'harmonie qu'ils offraient : la beauté architecturale des pavillons aux toits multicolores et celle des simples pavillons rustiques créaient une diversité agréable. Les créateurs de jardins faisaient entrer en ligne de compte les effets de la lumière du jour ou du clair de lune, le déroulement des saisons et autres considérations atmosphériques et climatiques. Ils sélectionnaient également les fleurs de manière à obtenir le maximum des différentes floraisons et à mettre en valeur tel ou tel décor. Les saules pleureurs, les bouquets de bambous et les pins noueux étaient

Les palais d'été des empereurs de Chine étaient entourés d'immenses jardins, malheureusement tombés dans l'abandon, car le successeur d'un personnage décédé ne s'installait jamais dans la demeure du défunt. *(Photo Giraudon.)*

返魂香術

Pagode, porte « lunaire », pavillons et pont en zigzag sont les principaux éléments décoratifs de cette scène aquatique. Des pins et des rochers aux formes torturées évoquant la montagne complètent ce tableau idéalisé. Illustration tirée de *The Pictorial News,* 1870. *(Montclair Art Museum.)*

toujours placés près des « montagnes », des « lacs » et des cours d'eau dans la composition d'un paysage. Les fleurs et les petits arbustes fleuris ornaient plus spécialement les abords immédiats de la maison.

Les familles chinoises habitaient généralement des maisons à un seul étage, bâties sur une plate-forme surélevée. On y trouvait des vérandas donnant sur des jardins et des pièces d'eau rectangulaires ou des canaux. Les ponts faisaient partie intégrante du décor ainsi que de hauts murs de pierre ou en stuc. L'ombre mouvante des feuilles et des branches dansait sur ces murs dont certains, percés d'un grand trou circulaire, servaient de cadre à une vue pittoresque.

Les grilles des fenêtres affectaient mille formes : fleurs, papillons, chauves-souris, éventails, vases, fruits, etc. Une décoration supplémentaire était fournie par la laque noire et or qui contrastait avec les toits aux tuiles noires. Les jardins clos n'avaient pas de pelouse, mais leurs allées étaient parfois égayées de pierres multicolores.

Les fleurs étaient à l'honneur. On les employait de façon très spéciale. Pas de parterres sinon les traditionnels massifs de pivoines *(Paeonia suffruticosa)*, la « reine des fleurs ». Des chrysanthèmes en pot étaient disposés dans les cours, où l'on avait la possibilité de suivre et d'admirer à loisir leur floraison. Aux femmes aux pieds torturés aussi bien qu'aux philosophes étudiant le déroulement de la vie à travers le processus de la floraison — naissance, plein épanouissement et déclin de la fleur — cette vue seule apportait une satisfaction profonde.

Les roses montaient à l'assaut de treillis. La glycine tapissait les murs. Le jasmin embaumait un peu partout. A la surface des pièces d'eau, les lotus dressaient leurs têtes roses et étalaient leurs feuilles en forme de calice. Cette fleur, aux yeux des bouddhistes, symbolisait la pureté. Les arbres à fleurs tels que magnolias, pruniers, pêchers et grenadiers trouvaient aussi traditionnellement leur place dans les jardins. Parmi les arbres à feuillage persistant utilisés par les Chinois, citons le pin, le genévrier et le cèdre. Les plus petits ou ceux appartenant à des espèces naines figuraient dans les enclos de dimensions modestes. Un bananier, le *Musa paradisiaca,* était particulièrement apprécié. Quant au bambou, il était partout présent. Ces différents types de fleurs et d'arbres sont représentés constamment dans les peintures chinoises. Un grand nombre ont une signification symbolique. Certains assemblages aussi sont significatifs. Ainsi l'association « pin — prunier — bambou » évoque « les trois amis de la saison froide ».

Le pêcher signifie immortalité, le pin et le bambou, longévité, le bananier, abondance.

La Chine, nommée à juste titre « le royaume des fleurs », dispose d'une gamme florale très étendue. Mais seules les fleurs symboliques ou permettant certaines associations trouvaient leur place dans les jardins. La manière dont on les plantait était censée influer sur le comportement des bons ou des mauvais esprits.

Même à l'intérieur des petits jardins clos, les Chinois s'efforçaient de reproduire certains décors naturels. Les rochers aux formes biscornues étaient toujours de rigueur, car ils représentaient les montagnes. Ces rochers semblent ridicules aux yeux des Occidentaux. Cependant ils étaient considérés comme une nécessité; on peut s'en rendre compte rien qu'en jetant un coup d'œil sur les gravures et les peintures chinoises. Ces pierres, associées à un pin échevelé et à une petite pièce d'eau, pouvaient aussi bien évoquer un tableau un peu sauvage que la doctrine taoïste, où s'affrontent les principes opposés du Yin et du Yang.

Vastes ou restreints, les jardins de l'ancienne Chine conservaient toujours un grand air d'intimité. Ils n'étaient jamais ni monumentaux ni symétriques. Ces caractéristiques impressionnèrent si bien les Européens qu'ils s'en inspirèrent pour créer leurs jardins au XVIIIe siècle.

189. Un étang couvert de nénuphars dans les jardins du palais d'Été, à Pékin. *(Magnum.)*

XIII   *Les Jardins Japonais*

En Extrême-Orient, le jardin a toujours été considéré comme le baromètre de la prospérité nationale; les époques de paix et d'abondance produisirent les jardins les plus magnifiques. Le jardin japonais fait exception à la règle. Loin d'être un « article de luxe » dépendant de la richesse du pays, il se contente de refléter le caractère profond de ses habitants, désireux de s'identifier à la nature.

L'amour de la nature est si intense au Japon que, depuis des siècles, le jardin y est devenu une nécessité vitale; il complète automatiquement la maison, dont les ouvertures sont conçues pour encadrer les plus belles vues. Des écrans coulissants en papier de riz permettent en outre de suivre les jeux d'ombre des feuillages légers se silhouettant dessus par transparence.

Même s'il ne dispose que d'un espace minuscule, le Japonais sait encore en tirer parti. Il lui arrive aussi de faire entrer le jardin chez lui en reproduisant des paysages en miniature dans des boîtes ou sur des plateaux. Pierres, sable, mousse et eau sont alors les principaux éléments dont il se sert.

L'art de cultiver les arbres nains est très poussé au Japon. Quant à celui d'arranger les fleurs *(ikebana)*, il est devenu une véritable science que l'on enseigne à l'école et qui possède ses professeurs qualifiés. Au Japon, d'ailleurs, tous les arts décoratifs traduisent l'amour de la nature, qu'il s'agisse de peinture, d'impression sur tissu ou de céramique.

190. Le « jardin paysager » du Ginkakuji ou pavillon d'Argent, à Kyoto. *(Martin Hürlimann.)*   309

Planches

191. Le jardin du pavillon d'Argent, à Kyoto, est le mieux conservé de tous ceux dessinés dans la seconde moitié du xve siècle, époque où le bouddhisme Zen exerçait une influence prépondérante sur l'art chinois et japonais. *(Japan National Tourist Organization.)*

192. Le *kara-san-sui* (jardin d'eau desséché) du temple Ryuanji, à Kyoto. C'est un rectangle où l'on ne trouve que du sable blanc et quinze rochers. Ce jardin, dépouillé à l'extrême, est une figuration de la doctrine Zen. *(Japan National Tourist Organization.)*

193. Planté voici quatre siècles dans les jardins du Kinkakuji (le pavillon d'Or), ce pin, conduit en forme de bateau, existe toujours. Il reflète l'habileté, la patience et l'amour qui ont présidé à sa création. *(Underwood and Underwood.)*

194. Détail du *kara-san-sui,* au temple de Ryuanji. Le ratissage habile du sable, autour des rochers, évoque les mouvements d'une onde figée. Bien entendu, on ne circule pas dans un tel jardin. *(Japan National Tourist Organization.)*

195. Ce jardin de temple, à Daigo, dans la banlieue Sud-Est de Kyoto, fut tracé en 1589 et spécialement conçu pour être admiré des salles qui le dominent. La principale caractéristique de ce jardin est le nombre de pierres qui participent à sa composition : sept cents en tout. *(Japan National Tourist Organization.)*

196. Le célèbre jardin Rikugien de Tokyo date de la fin du xviie siècle. Décor paysager typique de l'époque féodale, il comporte une vaste pièce d'eau évoquant la mer et maintes représentations symboliques. *(Japan National Tourist Organization.)*

197. Au Japon, l'un des plus beaux jardins agrémentés d'un lac est celui du pavillon d'Or ou Kinkakuji, à Kyoto. Construit comme résidence en 1397 et utilisé par la suite comme temple, le pavillon a été ravagé par un incendie en 1950, mais entièrement reconstruit cinq ans plus tard. *(Japan National Tourist Organization.)*

198. Les Japonais apprécient beaucoup les paysages de neige. Ils cherchent à mettre celle-ci en valeur grâce à un décor spécial. Des lanternes à à pied, au large chapeau, ont été conçues pour retenir les blancs flocons. On les nomme « lanternes à neige ». Celle que l'on voit ici se trouve au parc Kenrokuen, à Tokyo. *(Japan National Tourist Organization.)*

199. Autre vue du parc Kenrokuen, à Tokyo, avec, également, une «lanterne à neige». Remarquer, au premier plan, une utilisation lacustre du célèbre « pas japonais ». *(Japan National Tourist Organization.)*

200. Ces pierres massives forment un pont dans le jardin Rikugien à Tokyo. On les a volontairement mal équilibrées pour empêcher le visiteur de se hâter. *(Japan National Tourist Organization.)*

201. Selon la coutume typiquement japonaise, cette « lanterne », qui orne le jardin d'une auberge, se cache à demi sous les branches d'un arbre. *(Japan National Tourist Organisation.)*

202. Le jardin Suizenji, à Kanazawa, comprend « une montagne et un lac », symboliques. Tracé, au xviie siècle, il offre une réplique de la montagne sacrée : le Fuji Yama. *(Japan National Tourist Organization.)*

203. Le parc Ritsukin de Kagawa est un vaste jardin d'eau dont la beauté est mise en valeur par un arrière-plan naturel. *(Japan National Tourist Organization.)*

192

193

194

195

198

200

199

201

202

HISTOIRE

L'art de créer des jardins est sans doute venu de Chine, soit directement, soit en passant par la Corée. Des jardins de l'ancien Nippon il ne reste que des descriptions nous les montrant toujours comme « un lac avec île et ponts ». Primitivement, d'ailleurs, le jardin s'appelait *shima,* ou île. De vieux textes nous parlent de causeries littéraires tenues au bord de cours d'eau, dans des jardins, selon la mode de la Chine ancienne, et aussi de cerisiers, de pruniers, de pins et de saules plantés dans les jardins impériaux.

Comme la tradition voulait que la cour changeât de résidence après la mort de chaque empereur, il n'exista pas de style bien défini avant 710, lorsque la capitale du Japon devint officiellement Nara, où régnèrent sept empereurs successifs. Chaque jardin possédait cependant des pièces d'eau et des îles.

A la fin du VIIIe siècle, Nara fut abandonné pour Kyoto. La nouvelle capitale s'agrémenta alors de vastes et extravagants jardins, avec cascades, rochers ombragés de pins et fleurs diverses telles que chrysanthèmes, orchidées, glycine. Durant cette période, le style symétrique architectural prévalut : le jardin principal, qui s'étendait toujours au midi, contenait invariablement des « collines », une pièce d'eau et une île. L'un des deux ponts reliant l'île à la terre était voûté pour permettre aux bateaux de passer dessous.

De 1186 à 1335, l'esprit militariste de l'époque freina les progrès de l'art et de la culture. Cependant l'austère mode de vie et l'introduction du bouddhisme Zen apprirent aux Japonais la valeur de la simplicité. Des noms bouddhistes furent donnés aux différents rochers du jardin : celui-ci devint le reflet des principes de la religion. Le bouddhisme ne fut pas seul à influer sur la composition des jardins. Il y eut aussi ce que les Japonais appellent le *in-yo,* c'est-à-dire les principes passifs et actifs de la nature, selon les philosophes chinois. Certaines superstitions également (auxquelles s'attachent encore les jardiniers du XXe siècle) entrèrent en ligne de compte dans la création horticole.

Bref, doctrines religieuses, théories philosophiques et croyances populaires tissaient la trame des jardins. Les lois de la conduite, de l'harmonie, des cinq éléments et les principes de la cause et de l'effet, de l'actif et du passif, de la lumière et de l'ombre, du masculin et du féminin ainsi que les neuf esprits du panthéon bouddhiste, tout cela continue à avoir une action directe sur la manière dont sont dessinés les jardins japonais et, en particulier, sur celle dont sont groupées les pierres.

Aux XIVe, XVe et XVIe siècles, on assista à Kyoto à une véritable renaissance des arts. Jusqu'alors les jardins étaient construits de façon à pouvoir être admirés du point de vue esthétique. Sous l'influence du bouddhisme Zen ils s'imprégnèrent soudain d'intellectualité. L'influence Zen atteignait toutes les branches de l'art. On la retrouve même exprimée de façon raffinée dans la cérémonie (pour ne pas employer le mot de cérémonial !) du « thé » ou *chanoyu,* culte ésotérique « basé sur l'adoration de la beauté dans la routine quotidienne ».

Chanoyu exigeait un jardin différent du jardin classique. Les prêtres de l'esthétique entreprirent donc de révolutionner le jardin japonais. Certains de ces jardins furent la reproduction réduite de célèbres paysages chinois ou japonais. Très ingénieusement, on essaya d'obtenir des effets de montagnes lointaines dans un espace restreint.

Plusieurs jardins, demeurés intacts jusqu'à nos jours, sont attribués à l'illustre prêtre

Zen, Muso Kokushi, mort en 1351. C'est lui qui dessina le jardin du pavillon d'Argent de Kyoto et ceux de Tenryiji et de Saihoji.

Autre nom célèbre, celui de Soami, qui, au xvᵉ siècle, créa les jardins de rochers de Ryuanji et de Daisen-in, dont s'enorgueillissent deux monastères des environs de Kyoto.

Il est intéressant de noter que les jardins de cette époque s'inspirent souvent des paysages, uniformément peints en noir sur étoffe de soie, qui étaient alors fort en vogue. C'est aussi au xvᵉ siècle que naquirent les trois styles, *shin, gyo* et *so,* qui devaient se développer par la suite et touchèrent toutes les formes de l'art, y compris l'horticulture.

Pendant le dernier quart du xviᵉ siècle, la « période Momoyama » présida au développement de l'art japonais dépouillé de toute influence étrangère. Cette période se caractérise par une magnifique luxuriance, de conception libre et hardie, et aussi par le raffinement du *shibumi,* autrement dit le « goût délicat caché sous une apparence banale ».

C'est l'époque où se créèrent les plus fameux jardins de Kyoto et de ses environs.

En 1603, le clan des shogouns Tokugawa commença à régner sur Yédo, l'actuel Tokyo. Là les daïmios (seigneurs) se firent construire de belles maisons entourées de grands jardins. La cérémonie du thé était toujours à la mode, mais, peu à peu, les « buveurs de thé » et les prêtres ne furent plus seuls à dessiner les jardins. On confia ceux-ci à des professionnels appelés *niwashi* ou jardiniers. Les jardins de conception Zen se mirent à dégénérer : cessant de refléter les doctrines profondes de la religion, ils se figèrent dans des cadres immuables désormais sans grand intérêt.

En 1868, les Tokugawa ayant baissé pavillon devant l'empereur, Yédo fut baptisé Tokyo et devint le siège du pouvoir impérial. Le système féodal commença à s'effriter. La vie nationale s'en trouva profondément affectée. Beaucoup de jardins célèbres furent sacrifiés. A leur place on bâtit des écoles militaires, un collège naval, l'université impériale, un arsenal, etc. Durant la période de prospérité qui vint par la suite, les Japonais se remirent à créer avec ardeur de beaux jardins ou à remodeler ceux qui avaient seulement été négligés. Lors du tremblement de terre de 1923 et des bombardements de la seconde guerre mondiale, des dizaines de milliers de Japonais trouvèrent un refuge dans les parcs et les jardins publics de Tokyo.

LES DIFFÉRENTS TYPES DE JARDINS JAPONAIS

Les jardins de Nippon furent, dès l'origine, classés en deux catégories : les *tsuki-yama* (collines ou monticules artificiels) et les *hira-niwa* (jardins plats). Comme leur nom l'indique, les premiers de ces jardins sont constitués par des monticules (et aussi des étangs), tandis que les seconds se composent d'une étendue uniforme qui est censée représenter une vallée ou un marécage. Parfois ces deux types de jardins sont associés. A partir du xvᵉ siècle, époque où fut instauré le rite du thé, le *hira-niwa* se transforma progressivement en un type de jardin connu sous le nom de jardin *chaseki.*

Comme la calligraphie, la peinture, l'arrangement des fleurs et les autres branches de l'art japonais, les différents types de jardins ont été exprimés sous les trois formes *shin, gyo* et *so.* En horticulture, ces trois manières portent surtout sur la recherche du dessin général. Le *shin* est la forme la plus savante et la plus classique. Le *gyo,* inter-

Chrysanthèmes, par Hokusaï (1760-1849). Louvre, Paris. *(Photo Giraudon.)*

médiaire, est semi-classique. Quant au *so,* moins apprêté, plus rustique, c'est en quelque sorte un « condensé » des autres dont il simplifie parfois l'expression à l'extrême.

Quatre principaux types de jardins dérivèrent des deux types initiaux : le « jardin de rochers », le « jardin d'eau », le « jardin des lettrés » et le « jardin de thé ». Dans le *kara-san-sui* ou paysage sec, les rochers sont assemblés pour constituer une cascade : un fleuve sinueux et un étang y sont évoqués par de minutieux détails. A la place de l'eau, on trouve du gravier et du sable qui l'imitent habilement. Ce type de paysage sec peut aussi bien s'appliquer à un jardin à monticules qu'à un jardin plat. L'exemple le plus remarquable existant actuellement est le « jardin de rochers » du temple Ryuanji, où quinze rocs de tailles différentes sont réunis sur une plate étendue de sable.

Le jardin où l'eau est l'élément essentiel s'appelle *sen-tei* (« jardin d'eau ») ou *rin-sen*. Il peut être très vaste ou minuscule, agrémenté de rochers et surtout d'arbres. L'un des plus grands est celui de Chiba. Son lac est relié à la mer.

Le « jardin des lettrés » ou *bunjin-zukuri* traduit le goût des hommes de lettres pour la simplicité, en opposition avec celui, plus ostentatoire, des adeptes du « thé ». Une méthode moins spectaculaire de préparer le thé, un intérêt nouveau pour la littérature chinoise et pour *nanga* (école de peinture), tout cela eut une influence sur la composition de ces jardins dépouillés qui visent à rechercher la joie paisible, ne serait-ce qu'en contemplant un reflet de lumière dans le feuillage ou une colombe sur une branche.

Détail d'un paravent japonais de l'école de Kano (début du XVIIe siècle) : à l'époque où il fut réalisé, les prêtres n'étaient plus tout à fait les seuls à dessiner les jardins. On commençait à recourir à des professionnels, les *niwashi* (jardiniers). *(Photo Giraudon.)*

322

Ces jardins étaient à la fois simples et petits. Leur manque de variété fit que leur mode ne dura guère. On en trouve pourtant encore, limités à un coin de jardin principal ou à une cour : ils peuvent alors ne se composer que d'un groupe de palmiers, une touffe de bambous avec deux ou trois rochers et quelques fleurs.

Le *chaniwa* ou « jardin de thé », qui répond aux exigences du culte Zen pour le *chanoyu*, se compose avant tout d'une allée partant de la maison de thé ou *chaseki* et y revenant. A l'entrée se trouve une ouverture si basse qu'on doit se baisser pour passer : c'est un symbole d'humilité. Ce type de jardin, de petites dimensions, contenait souvent un abri et toujours un puits, un bassin de pierre et une lanterne. Conçu pour s'harmoniser avec l'esprit de la cérémonie du thé, le décor devait inciter à la méditation. Celle-ci visait à atteindre de précieuses qualités telles que modestie, politesse, retenue et sensibilité. Dans le *chaniwa* à l'atmosphère poétique, en marge du tourbillon de la vie, les Japonais se sentaient comme détachés du monde.

Au premier rang des éléments décoratifs qui figuraient dans ces jardins venaient les arbres à feuillage persistant. Les fleurs, au contraire, y étaient en nombre limité; leur vue ne devait pas émousser à l'avance l'enthousiasme des promeneurs qui, une fois de retour à la maison de thé, avaient la faculté d'y admirer d'autres fleurs, savamment disposées dans des vases.

Notons pour terminer que, dans tous les types de jardins japonais, on retrouve, peu ou prou, l'influence du *chaniwa*.

COMPOSITION DU JARDIN

Rares sont les Européens capables de comprendre le symbolisme des jardins japonais. Du moins peuvent-ils apprécier l'ingéniosité du « montage » pour obtenir certains effets et la façon pittoresque dont sont disposés les ponts, les rochers, les lanternes, les puits et les pavillons. Ces accessoires ne sont pas placés au hasard. Tous ont une signification qui saute aux yeux avertis des Japonais.

Ceux-ci admirent beaucoup les chutes d'eau. Aussi la cascade est-elle un élément dominant dans presque tous leurs paysages. Il en existe dix sortes différentes : miroitante, en nappe, en filets réguliers, en filets irréguliers, divisée au milieu, tombant droit, à plusieurs niveaux, etc.

Toutes sortes de techniques habiles sont employées pour donner l'idée d'un ruisseau important bondissant à travers le jardin, ou au contraire d'un cours d'eau calme, ou encore d'un cours d'eau coupé de tourbillons. Des pierres sont judicieusement placées afin d'obtenir l'effet désiré.

Lacs et étangs occupent eux aussi une telle place dans les jardins japonais que, depuis des siècles, ils constituent un véritable sujet d'étude. Certains doivent pouvoir donner une impression d'immensité. D'autres, plus modestement, figureront des rivières ou des étangs. Plantes et arbres répartis sur leurs bords aident à dissimuler leur forme exacte et réservent parfois à l'œil de charmantes surprises. Leurs rives mêmes sont faites de matériaux divers adaptés à l'ensemble du paysage.

Les illustrations suivantes sont extraites du *Tsukiyama Teizo-Den (la Création de jardins à éminences)*, publié entre 1818 et 1830, mais écrit dès le XVIᵉ siècle par Soami. Le texte fut republié, avec des notes, par Jiro Harada dans *les Jardins du Japon*.

EN HAUT, A GAUCHE : style *shin* de jardin à éminences. A. Eminence ou butte principale ; B. Pendant de la butte A, avec cascade entre les deux tertres ; C. Butte plus basse — un éperon avec dépression pour un hameau ; D. Butte basse et arrondie ; E. Pic lointain dans un décor de montagne ; I. Pierre vigie ; II. Falaise servant de « compagne » à la pierre vigie, de l'autre côté de la cascade ; III. Pierre de l'adoration ; IV. Pierre de la vue parfaite ou pierre des deux divinités ; V. Pierre de l'attente, disposée par rapport au plus haut niveau de l'eau ; VI. Pierre de la grotte, de même caractère que la pierre vigie, qu'elle remplace parfois ; VII. Pierre « piédestal », à l'endroit où se divise le chemin de pierres ; VIII. Pierre de l'ombre lunaire, symbolisant le mystère des distances ; IX. Le siège très honorable ; X. Pierre de la flânerie (inférieure et supérieure) ; 1. Arbre de l'esprit ou arbre principal ; 2. Arbre de la vue parfaite ; 3. Arbre de la solitude ; 4. Arbre-écran de la cascade ; 5. Arbre du soleil couchant, pour tamiser la lumière ; 6. Pin d'arrière-plan, pour suggérer une forêt au loin ; 7. Pin parasol ; a. Véranda ; b. *Chozubachi* ou cuve à eau en pierre ; c. Barrière ; d. Lanterne de pierre ; e. Puits ; f. Sanctuaire.

AU CENTRE, A GAUCHE : type *gyo* de jardin à éminences. I. Pierre vigie ;

II. Pierre falaise; III, IV. Pierres de la cascade; V. Plateau de pierre dans l'eau; VI. Modèle réduit de la butte D, dans le style *shin ;* VII. Pierre du bout du pont; VIII. Siège très honorable; IX. Pierre de la vue parfaite ou pierre des deux divinités; X. Pierre de l'adoration; XI. Pierre de la grotte; XII. Pierre de l'ombre lunaire; XIII. « Lanterne à neige » en pierre; XIV. Lanterne de pierre de style *kasuga ;* XV. Bassin d'eau assimilé à une pierre de l'attente.

EN BAS, A GAUCHE : jardin à éminences de style *so*. I. Pierre vigie; II. Pierre de l'attente; III. Pierre de la colline; IV. Pierre de l'adoration; V. Pierre du soleil du soir; VI. Pierre de l'ombre lunaire; VII. Siège très honorable.

EN HAUT, A DROITE : type *shin* de jardin plat. I. Pierre vigie; II. Siège très honorable; III. Pierre de la colline; IV. Pierre de la vue parfaite; V. Pierre de l'ombre lunaire; VI. Pierre du départ; VII. Dalles; VIII. Puits; IX. Pierre de l'adoration; X. Barrière; XI. Arbre du soleil du soir; XII. Arbre de la solitude; XIII. Pierre des deux divinités; XIV. Pierre de la solitude; XV. Bassin à eau en pierre; XVI. Pierre-îlot.

AU CENTRE, A DROITE : type *gyo* de jardin plat. I. Pierre vigie; II. Pierre de la colline; III. Pierre de l'ombre lunaire; IV. Pierre de l'adoration; V. Pierre de la grotte; VI. Puits; VII. Pierre de la solitude; VIII. Pierre « piédestal »; IX. Dalles; X. Pierre des deux divinités; XI. Siège très honorable.

EN BAS, A DROITE : type *so* de jardin plat. I. Pierre vigie; II. Pierre de l'adoration; III. Pierre de la vue parfaite; IV. Puits; V. Pierre des deux divinités.

A défaut d'eau véritable, les jardiniers japonais évoquent sa présence par d'habiles artifices. Leur imagination dans ce domaine ne connaît pas de bornes.

Les monticules des jardins à buttes sont en général constitués par la terre provenant du creusement des pièces d'eau. Le mont Fuji étant grandement honoré au Japon, il n'est pas rare que ces monticules en reproduisent l'allure.

Les lacs de jardin s'agrémentent presque toujours d'îles aussi variées de forme que de caractère. Une de ces îles typiques ressemble à une tortue. Comme elle est supposée se trouver au milieu de l'Océan, elle n'est reliée à la terre par aucun pont.

Dieu sait pourtant s'il y a des ponts dans les jardins japonais! Ponts en pierre, en bois ou en clayonnages recouverts de terre... Le pont en zigzag à huit sections n'est autre qu'une plate-forme d'où l'on peut admirer les fleurs alentour.

Des rochers naturels, remarquables par leur taille, leur forme ou leur couleur, jouent un rôle important dans la composition du jardin. Des Japonais vont parfois les chercher fort loin. Ceux venant de la montagne sont disposés de manière à évoquer des falaises et des précipices. Ceux pris au bord de la mer trouvent place au bord des lacs et des étangs. D'après leur forme, ces pierres se classent dans des catégories spéciales. On leur attribue aussi un sexe. Bien entendu, chacune reçoit une dénomination propre. Les principales, que l'on trouve même dans les plus modestes jardins, sont : la pierre du gardien ou pierre-vigie, la pierre de l'adoration et la pierre des deux divinités ou des deux déités.

Des « chemins de pierres » (les célèbres pas japonais!), formés de blocs aux formes irrégulières, sont spécialement étudiés pour obliger le promeneur à n'avancer que pas à pas dans le jardin dont il peut ainsi découvrir et admirer tous les aspects.

Dans les paysages secs, le sable, qui remplace l'eau, est indispensable. Il doit évoquer la propreté. Aux temps de la féodalité, on en tenait toujours en réserve pour jeter sous les pas de l'empereur ou du shogoun.

Parmi les arbres dont ils ornent leurs jardins, les Japonais ont une prédilection pour le pin. Aucun paysage ne semblerait complet sans un pin harmonieux, symbole de virilité et de longue vie... Plantés en bordure des pièces d'eau, dans lesquelles ils se mirent, les arbres voient leur charme doubler. Pour le seul plaisir d'entendre les gouttes de pluie tambouriner sur de larges feuilles, les Japonais plantent aussi des bananiers à proximité de leurs demeures.

En disposant les arbres par groupes, les jardiniers nippons en opposent généralement trois à un, un à deux, cinq à deux, etc. Le reflet de la lune sur l'eau ne doit jamais être gâté par un entrecroisement trop dense de branches. En outre, en plantant trop d'arbres côte à côte, on empêcherait le vent de passer. On voit avec quel soin on tient compte de multiples éléments dans le tracé d'un jardin japonais!

Les puits et les bassins à eau ou citernes sont des éléments aussi utiles que décoratifs. On les trouve en particulier dans les « jardins de thé ». Dans les jardins secs, puits et bassins figurent souvent la source d'un fleuve. Des lanternes de pierre, caractéristiques des jardins nippons, agrémentent couramment aussi les « jardins de thé ». Allumées ou non, elles symbolisent la lumière dissipant les ténèbres. Des pagodes de pierre confèrent un charme exotique à certains décors. On en trouve également en bois, qui représentent de vieux sanctuaires ou des temples. Bâties en général au sommet d'une éminence, elles invitent à la méditation.

Le jardin Kahura, à Kyoto. Les célèbres jardins de Kyoto ont été conservés (ou restaurés) tels qu'ils furent conçus il y a plusieurs siècles. *(Photo W. Bishof-Magnum.)*

De leur côté, des pergolas et des pavillons constituent autant de lieux de repos où l'on peut jouir d'une aimable solitude tout en admirant la beauté du jardin. Ces abris sont construits au bord de l'eau, au creux de ravins boisés ou encore près des cascades. Là, une fraîcheur permanente adoucit les ardeurs de l'été.

La maison de thé ou *chaseki* est située dans un endroit isolé encore qu'il ne soit pas rare d'en trouver plusieurs — de style différent et séparées les unes des autres — dans un même vaste jardin.

Les portails des jardins japonais et les barrières qui entourent ceux-ci sont d'une telle diversité qu'il est impossible de les décrire tous. On pénètre en général dans un jardin par une porte à deux battants pourvue d'un petit toit. La clôture ceint tantôt le jardin entier, tantôt seulement une partie. Il arrive aussi que de petites barrières, appelées *sode-gaki* ou barrières-manches (parce qu'elles ont la forme d'une manche de kimono) soient utilisées pour diviser l'intérieur d'un jardin.

En conclusion, on peut affirmer que le jardin japonais est à la fois un lieu de beauté et un asile de paix, un endroit véritablement idéal où l'esprit peut se délasser et l'âme s'enrichir.

De l'eau, une pergola, des arbres : le grand dessinateur Hokusaï rend admirablement l'impression de calme de cette promenade dans le traditionnel jardin japonais. *(Photo Giraudon.)*

328

XIV

Entretien des Jardins d'Autrefois

UN JARDINIER A BESOIN D'INSTRUMENTS
POUR SOIGNER LES PLANTES

« Un jardinier fleuriste ne doit pas se contenter de se munir d'instruments et d'outils.
Il doit aussi savoir entretenir son matériel, le préserver de la rouille et le réparer quand,
à force d'avoir servi, il est en mauvais état. »

FRANCIS GENTIL, 1706.

« L'arrosage des plantations doit se faire le matin sitôt après le lever du soleil et le soir
quand le soleil décline... En arrosant aux heures chaudes, comme par exemple à midi,
l'eau tiédie par le soleil brûlerait les jeunes et tendres racines... »

THOMAS HYLL, *The Gardener's Labyrinth*, 1577.

329

OUTILS DE JARDINAGE DU XVIIIe SIÈCLE

1. Bêche. « Le premier outil que le jardinier emploie. Il est surtout utilisé par les apprentis. »

2. Pelle. « Utilisée pour extraire la terre d'une tranchée ou d'un fossé et pour emplir une brouette avec les détritus amassés par ratissage. »

3. Râteaux. « Ces outils sont, pour un jardinier, symbole de propreté. »

4. Sarcloirs. « Instruments nécessaires pour débarrasser le jardin des mauvaises herbes. »

5. Déplantoir. « Indispensable pour transplanter et enlever toutes les fleurs que le jardinier est obligé de changer de place. »

6. Émondoir. « Tellement nécessaire que tout jardinier devrait en avoir un dans sa poche. »

7. Plantoirs. « Pour planter de petites fleurs à racines ou des bulbes. »

8. Arrosoir. « Imite la pluie tombant du ciel. »

9. Batte. « Sert à aplanir les allées et empêche très efficacement la repousse des mauvaises herbes. »

10. Panier à fleurs. « Un jardinier fleuriste devrait toujours avoir des paniers à sa portée pour recueillir des fleurs à l'occasion. Cette sorte de panier, symbole d'ordre et de propreté, est l'attribut le plus gracieux de la profession. »

11. Tamis. « Sert à réduire la terre en granules grossiers. »

12. Scie. « Pour couper les branches que l'on ne peut ôter avec un simple couteau. »

13. Transplantoir. « Utilisé pour enlever, avec la terre, les plantes que l'on désire transplanter. »

14. Pots à fleurs. « Destinés à contenir les fleurs susceptibles de mieux pousser ainsi qu'en pleine terre. Exemple de telles fleurs : les œillets, les oreilles-d'ours, les tubéreuses. Ces pots peuvent être de terre ordinaire ou de faïence hollandaise. Les premiers conviennent mieux aux plantes ci-dessus mentionnées. Les autres, plus vastes, seront employés de préférence pour le jasmin et les œillets-giroflées. »

15. Rabot. « On a beau passer le râteau très souvent dans les allées ou les sentiers, il reste toujours quelques irrégularités de terrain que cet instrument rectifie aisément. »

16. Paillassons. « Indispensables pour préserver les plantes contre le gel. »

17. Maillet. « Utilisé avec un ciseau pour ôter les branches que l'on ne peut couper proprement avec la seule force des mains. »

18. Brouette. « Sert à transporter les pierres ou les détritus d'un jardin en un endroit préparé pour les recevoir. Sert également à porter de la terre ou du terreau pour fertiliser les sols pauvres. »

19. Brancard ou brouette à main. « Sert à transporter jusqu'à la serre des arbres ou des arbustes placés dans des caisses... Préconisé aussi pour le transport du fumier destiné aux plates-bandes. »

20. Échenilloir. « Pour ôter les chenilles, qui, autrement, détruiraient tout... Ces cisailles coupent l'extrémité de la branche sur laquelle se tient la masse des chenilles. »

21. Cisailles. « Pour tailler le buis, les ifs et autres arbres et arbustes qui servent à embellir le jardin. »

22. Échelle double. « Pour tailler la partie supérieure d'une tonnelle ou d'un berceau de verdure. »

23. Pioche. « Pour soulever les plantes ornant les bordures... ou pour préparer la plantation des arbres et des arbustes. »

24. Rouleau ou cylindre. « Pour aplanir les allées après passage du râteau. »

25. Croissant. « Un jardinier qui a des rangées de plantes à aligner ne peut guère y arriver sans un croissant, dont il se sert d'une certaine manière. Même un apprenti prend vite ce tour de main. »

26. Cloche en verre. « Un horticulteur ne peut s'en passer, à moins qu'il ne veuille courir le risque de perdre ses plantes..., surtout celles qui sont semées immédiatement après la fin de l'hiver. »

27. Cloche de paille. « Destinée à couvrir des plantes récemment transplantées, afin de les préserver des ardeurs du soleil, qui pourrait les empêcher de bien venir. »

28. Trident ou fourche-bêche. « Pour étaler et répartir le fumier sur les plates-bandes. »

29. Déplantoir. « Le jardinier fleuriste s'en sert pour déplacer les plantes avec la terre qui entoure les racines. »

30. Claie. « Pour tamiser la terre... D'une grande utilité pour séparer la bonne terre des cailloux. »

Planche tirée de l'ouvrage *le Jardinier fleuriste*, de Louis Liger d'Auxerre, 1787.

Texte tiré du *Jardinier solitaire (The Solitary or Carthusian Gard'ner)*, de Francis Gentil, Londres, 1706.

En haut, a gauche : jardinage de printemps dans l'enceinte d'un château entouré de douves. Le seigneur et son jardinier surveillent le premier béchage de la saison, 1495. (*Bibliothèque Pierpont Morgan.*)

En haut, a droite : « Avec beaucoup d'habileté, en utilisant le plantoir, le râteau, la pioche et la bêche.
Sans oublier le cordeau et en aplanissant le sol, on fait un joli jardin. »
Thomas Tusser, *A hundred Good Points of Husbandrie,* 1557.
Gravure tirée de *The Gardener's Labyrinth,* de Thomas Hyll, 1577. (*New York Public Library.*)

Ci-contre, en haut : tapisserie des Gobelins du XVIIe siècle, au palais Pitti. On y voit des enfants travaillant à un jardin de fleurs. On remarquera notamment bêches, râteaux, et binettes. (*Alinari.*)

Ci-contre, en bas : l'activité débordante déployée par les jardiniers un jour de printemps a été peinte ici par Pieter Brueghel le Vieux. Hommes et femmes au travail bêchent, râtissent, sèment, plantent, arrosent, cependant qu'à l'arrière-plan d'aimables oisifs dînent sous un pavillon de verdure. (*Metropolitan Museum of Art.*)

A GAUCHE : le plus vieux et le plus simple des moyens d'arrosage consiste à aller puiser l'eau au puits le plus proche.

A DROITE : les anciens Égyptiens arrosaient à l'aide de pots qu'ils transportaient sur leurs épaules, aux deux extrémités d'un joug en bois. Ils utilisaient également le chadouf, sorte de seau de cuir suspendu à l'extrémité d'une perche et qui ressemblait à un balancier de puits. *Histoire de l'art de l'Ancienne Égypte,* de Georges Perrot et Charles Chipiez; Londres : Chapman et Hall, 1883.

Système d'arrosage du XVIᵉ siècle : on utilisait une poterie perforée qui fonctionnait suivant le principe d'un siphon. Thomas Hyll écrit à ce sujet dans son ouvrage *The Gardener's Labyrinth* (1577) : « L'arrosoir habituel de nos jardins a un cou étroit, un gros ventre et un assez gros derrière. Il est plein de petits trous, avec un plus gros au sommet de la tête afin de pouvoir l'emplir. » Gravure flamande du XVIᵉ siècle. *(Metropolitan Museum of Art.)*

De gros tonneaux ou des cuves, véhiculés sur deux roues à travers le jardin, pouvaient servir à l'arrosage. Gravure du XVIIIᵉ siècle, par Salomon Kleiner. *(Metropolitan Museum of Art. Photo Roche.)*

Système de rigoles permettant
d'irriguer toutes les parties d'un
jardin.

Voiture à eau pouvant « servir efficacement à arroser les pelouses..., à conserver les plantes vertes aussi
bien qu'à fixer la poussière des allées. Sert aussi à l'arrosage du jardin potager. » Les figures I
et II montrent les différentes manières d'utiliser l'appareil. La figure III représente un simple arrosoir
de bois que l'on pouvait diriger selon l'orientation désirée. Gravure de J. G. Grohmann, 1796. *(Metropolitan Museum of Art. Photo Roche.)*

Ici l'instrument servant à l'arrosage « ressemble à un petit
canon ». Sa manœuvre exigeait
de grands efforts. L'eau jaillissait en « grosses gouttes »
comme le jet d'une fontaine.
Les trois gravures sont tirées
du *Gardener's Labyrinth* de Thomas Hyll, 1577. *(Bibliothèque
Pierpont Morgan.)*

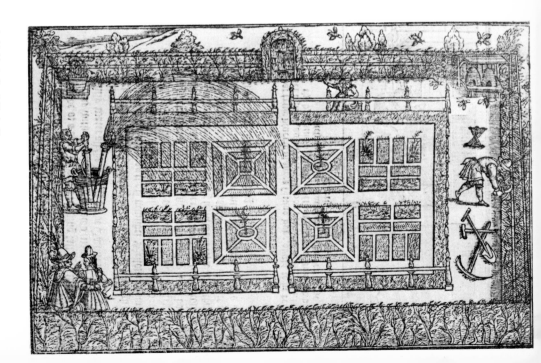

Un arrosoir de cuivre avec « un gros ventre, un col mince et une anse robuste » était d'emploi courant au XVIIIᵉ siècle, ainsi qu'on peut le voir sur la tapisserie (EN HAUT, A GAUCHE) ou sur la gravure (EN HAUT, A DROITE). Tapisserie française, *Mars*. *(Metropolitan Museum of Art.)* Gravure française. *(Bibliothèque Pierpont Morgan.)*

LE JARDIN CLASSIQUE A TOUJOURS EXIGÉ
LA TAILLE ET L'ÉMONDAGE SOIGNÉS DES ARBRES

Les cisailles destinées à tailler les haies étaient longues et coupantes. Pour opérer à une certaine hauteur, on utilisait parfois des plates-formes montées sur roulettes. Gravures de Salomon Kleiner, 1730. (CI-DESSOUS ET CI-CONTRE, EN BAS A GAUCHE.) *(Metropolitan Museum of Art. Photo Roche.)*

La taille des haies dans un jardin flamand au XVIIe siècle. Gravure *Odoratus* d'Abraham Bosse. (A GAUCHE.) *(New York Public Library.)*

Pendant des siècles les serpettes ont été utilisées pour émonder les arbustes, la vigne et les petits arbres. On voit ici l'une des tapisseries des Gobelins représentant des enfants jardinant au cours des quatre saisons. Collection du palais Pitti, à Florence. (A DROITE.) *(Alinari.)*

A GAUCHE : la brouette eſt une des plus précieuses inventions humaines. Elle a servi à transporter des gens, des marchandises. De nos jours, elle continue à rendre mille et un service dans nos jardins. *(New York Public Library.)*

CI-DESSOUS : aux XVIIᵉ et XVIIIᵉ siècles, on adopta en Europe la mode italienne d'orner les jardins de citronniers et d'orangers en caisse. L'hiver on les conservait dans des serres. Au printemps on les remettait en place. Gravure de Salomon Kleiner, 1730. *(Metropolitan Museum of Art. Photo Roche.)*

EN FACE : poulie portative (et décorative) deſtinée à soulever les arbres en caisse que l'on désirait déplacer. Extrait de Volckamer : *Nurnbergische Hesperides,* 1708. *(New York Public Library.)*

LA ROUE A FACILITÉ LA VIE DU JARDINIER

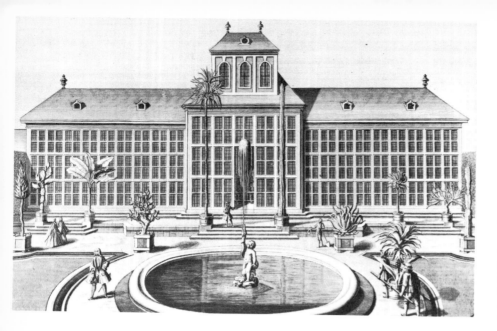

Au XVIIIᵉ siècle, quand l'horticulture s'intéressa aux plantes exotiques, l'ancienne orangerie se transforma définitivement en serre. La verrière permettait un maximum d'ensoleillement. La chaleur de poêles aidait souvent aussi à préserver de fragiles collections de plantes tropicales, comme par exemple celle du prince de Schwarzenberg. Gravure de Salomon Kleiner, 1730. *(Metropolitan Museum of Art. Photo Roche.)*

CI-DESSOUS : des cloches en verre protègent contre les gelées les plantes qui ont levé au tout début du printemps. Gravure extraite de *The Gentleman and Gardener's Kalendar,* 1718, par Richard Bradley. *(Massachussets Horticultural Society Library.)*

LES JARDINS ET LES PLANTES ONT SOUVENT BESOIN D'UNE PROTECTIO

HIVERNALE. LA VÉGÉTATION EXIGE UN MINIMUM DE CHALEUR

CI-DESSUS : châssis pour plantes fragiles. La paille était également utilisée pour la protection contre le froid. Tapisserie des Gobelins, XVIIIᵉ siècle. (Alinari.)

A GAUCHE : le jardin-serre imaginé par Humphrey Repton pour Woburn Abbey. Illustration de ses Fragments on the Theory and Practice of Landscape Gardening. (Pennsylvania Horticultural Society Library.)

Poêle hollandais de la fin du XVIIᵉ siècle deſtiné à protéger les orangers pendant la saison froide. On utilisait du charbon de préférence au bois. Illuſtration tirée du Den Nederlantsen Hovenier, 1696.

LES FLÉAUX DU JARDIN

Pour vous débarrasser des taupes, « prenez de l'hellébore blanc et de la racine de ricin. Broyez et mélangez avec de la farine d'orge et des œufs. Diluez avec du vin et du lait. Formez une pâte, divisez-la en plusieurs morceaux et placez ceux-ci dans les trous des taupes ».

Dans la guerre contre les chenilles, il est recommandé de les chasser « quand elles s'assemblent en gros tas sur les arbres pour mieux résister au froid de la nuit ». En ce

A GAUCHE : détail d'une gravure de Hendrik et Daniel van Damme, 1730. *(Metropolitan Museum of Art. Photo Roche.)*

A DROITE : lorsque l'herbe d'une pelouse avait été fauchée, on la balayait soigneusement. Jardin de Carlton House, à Pall Mall. Cette propriété appartenait à la mère de George III, la princesse douairière de Galles. Gravure de William Woollett, 1760.

qui concerne les escargots, il faut se mettre à leur recherche « au lever du jour ou après la pluie, au moment où ils sortent en quête de nourriture. On peut alors les écraser facilement ». Pour détruire les fourmis, « brûlez les coquilles d'escargot vides avec du styrax et répandez les cendres sur la fourmilière..., dont les occupantes seront bientôt obligées de sortir..., ou bien encore employez de l'origan en poudre mélangé avec du soufre ». « Les chiens et les chats doivent être tenus à l'écart des jardins de fleurs. Vos chiens... laisseront forcément de vilaines marques à la surface du sol..., et les chats feront des ordures partout; grattant alors pour recouvrir leurs saletés, ils déterreront vos plantes. »

LOUIS LIGIER D'AUXERRE, 1706.

342

UN JOLI GAZON BIEN ENTRETENU

Dans son *Essai sur le jardinage,* Bacon proclame que « rien n'est plus agréable à l'œil qu'un joli gazon bien entretenu ». L'Angleterre peut se vanter d'avoir porté presque jusqu'à la perfection l'art de créer et d'entretenir les pelouses. Favorisée par le climat de la Grande-Bretagne, l'herbe pousse à miracle dans ce pays et contribue puissamment à la beauté des jardins. A l'époque des Tudor, on découpait des plaques d'herbe dans les prés pour en décorer les jardins d'agrément.

Au cours du XVIIe siècle, le jeu de boules devint si populaire qu'il nécessita de grandes étendues de gazon. Pour constituer ces boulingrins *(bowling green)* primitifs, on utilisa alors le trèfle blanc.

Plus habiles que leurs prédécesseurs, les jardiniers du XVIIIe siècle créèrent de magnifiques pelouses qui avaient cependant l'inconvénient de coûter fort cher, car elles exigeaient un entretien constant. La faux et le rouleau étaient alors couramment employés.

Il fallut néanmoins attendre le XIXe siècle pour que la qualité du gazon soit améliorée (à partir des graines) et que la tondeuse mécanique détrônât les outils jusqu'alors utilisés.

CI-DESSOUS : on doit « se servir souvent de la pierre de grès pour affûter la faux ».

JOHN PAPWORTH, *Hints on Ornemental Gardening*.

Détail d'une gravure de William Woollett, 1757. *(Metropolitan Museum of Art. Photo Roche.)*

EN FACE : « A l'occasion, après la pluie, on peut passer un lourd rouleau sur le sol pour en faire disparaître les inégalités. La surface devra être aussi lisse que possible. » « Pour débarrasser la surface du sol des larves, vers, etc., il est d'usage courant d'y passer le rouleau la veille du jour où l'on veut faucher. »
ANDREW JACKSON DOWNING, *A Treatise on the Theory and Practice of Landscape Gardening.*
Détail d'une gravure de William Woollett, 1757. *(Metropolitan Museum of Art. Photo Roche.)*

La première tondeuse à gazon fut brevetée en Angleterre en 1830. Son inventeur, Edwin Budding, était ingénieur dans une fabrique de textiles. Après avoir imaginé une machine à raser le duvet d'une étoffe, il en appliqua le principe à un instrument pour couper l'herbe. J. R. et A. Ransome commencèrent à lancer les tondeuses sur le marché en 1832. *(Ransomes, Sims and Jefferies Ltd.)*

ÉPILOGUE

« Le jardinier ne doit pas être paresseux..., sinon votre verger ne pourra pas prospérer. Il y a toujours quelque chose à faire. Les mauvaises herbes ne cessent de pousser. La mère de toutes les créatures vivantes, la terre, recèle quantité de graines en ses flancs..., il faut les aider à germer...

« En hiver, vos jeunes arbres et vos jeunes plantes demandent à être allégés de leur manteau de neige. Il faut aussi nettoyer vos allées...

« Quand l'été fait reverdir vos « bordures » et s'épanouir les fleurs aux gais coloris, votre jardinier doit tailler les haies..., s'occuper des abeilles..., distiller l'essence des roses et autres fleurs. Puis il lui faudra commencer à s'occuper des fruits que l'été fera mûrir... Un seul homme ne peut suffire à toutes ces besognes. Si vous avez un jardin à entretenir, procurez des aides à votre jardinier, qui, autrement, ne pourrait en venir à bout. »

WILLIAM LAWSON, *A New Orchard and Garden*, Londres, 1618.

NOTES

I. *Au Temps des Pharaons*

1. NINA M. DAVIES et ALLAN H. GARDINER : *Ancient Egyptian Paintings,* Chicago, University of Chicago Press, 1936.
2. RICHARD A. PARKER : *The Late Demotic Gardening Agreement* (le Jardinage populaire de la dernière période), *Journal d'archéologie égyptienne,* vol. XXVI, 1941.

V. *Les jardins d'Islam : la Perse*

1. ARTHUR URBANE DILLEY : *The Garden of Paradise Rug and the Holy Carpet of the Mosque at Ardebil* (Le tapis représentant le jardin du Paradis et le saint tapis de la mosquée d'Ardebil), probablement imprimé en 1924.

VII. *La Renaissance Italienne*

1. MICHEL DE MONTAIGNE : *Œuvres complètes, Essais, Journal de voyage, Correspondance* (traduction de Donald M. Frame : *Complete Works, Essays, Travel Journal, Letters*), Stanford, Stanford University Press, 1957.

2. EDITH WHARTON : *Italian Villas and their Gardens* (Villas italiennes et leurs jardins), New York, The Century Co, 1904.
3. Une copie est visible au Metropolitan Museum of Art de New York.

VIII. *La Splendeur Française*

1. JACQUES ANDROUET DU CERCEAU : *Des plus excellents bâtiments de France,* Paris, 1576-1607.
2. Histoire officielle d'André Félibien, architecte et historien.
3. HELEN M. FOX : *André Le Nôtre, Garden Architect to Kings* (André Le Nôtre, architecte et dessinateur de jardins royaux), New York, Crown Publishers, 1962.

X. *L'Angleterre Traditionaliste*

1. FRANCIS BACON : *Of Gardens* (Des jardins), *Essays.*
2. GERTRUDE JEKYLL : *Home and Garden* (Maison et Jardin), Londres, Longmans Green and Co, 1900.

GLOSSAIRE

A   Anglais
Eg Egyptien
Es Espagnol
F   Français
I   Italien
J   Japonais
P   Persan ou Mongol
L   Latin

ALLÉE (F) : longue avenue bordée d'arbres.
AQUARIUS (L) : fonctionnaire chargé du service de la distribution des eaux.
ATRIUM (L) : vestibule d'entrée d'une maison, formant pièce de réception, avec une ouverture au plafond et un bassin au milieu.
BAGH (P) : jardin d'agrément et habitation.
BERCEAU (F) : charmille ou treillage en voûte, généralement couverts de verdure.

BERSO (I) : berceau de verdure. (Voir *Berceau.*)
BONSAI (J) : culture d'arbres nains.
BOSCO (I) : bouquet d'arbres.
BOSQUET (F) : petit bois.
BRODERIE (F) : savants dessins à l'aide de buis nain taillé et produisant un effet de broderie.
CHABUTRA (P) : petite plate-forme de plein air, ressemblant à un trône.
CHANIWA (J) : jardin de thé.
CHANOYU (J) : cérémonie du thé.
CHASEKI (J) : lieu où est pratiquée la cérémonie du thé.
CLAIRVOYÉE (A et F) : ouverture prati-

quée dans une haie ou dans un mur et ayant l'apparence d'une fenêtre.

CRYPTOPORTICUS (L) : galerie fermée permettant de se promener à l'abri des intempéries.

DIAETA (L) : corps de logis renfermant tout ce qui est nécessaire à la vie quotidienne.

GESTATIO (L) : lieu de promenade (promenade à cheval ou en litière).

GIARDINO SEGRETO (I) : petit jardin, clos et privé.

GLORIETA (Es) : berceau de verdure fait avec des arbres taillés, en général des cyprès.

GYO (J) : style semi-classique.

HA-HA (A) : saut-de-loup, fossé à l'extrémité d'une allée, d'un jardin, pour en défendre l'entrée sans gêner la vue.

HIRA-NIWA (J) : jardin plat.

IKEBANA (J) : art de disposer les fleurs.

KARA-SANSUI (J) : Paysage « sec ».

NIWASHI (J) : pépiniéristes

NYMPHAEUM (L) : pavillon d'agrément orné d'une fontaine.

PARTERRE (F) : jardin dessiné à l'aide de petites plantes vertes, de fleurs, de gazon et de terres de couleur.

PATTE-D'OIE (F) : disposition en forme de patte d'oie de trois avenues partant d'un rond-point.

PERGOLA (A) : galerie adossée à une maison, couverte à claire-voie et garnie de plantes grimpantes.

PÉRISTYLE (L) : cour intérieure d'une habitation, à ciel ouvert.

PISCINA (L) : bassin à poissons.

PLEACHED ALLEY (A) : allée formée de « murs » d'arbres entrelacés et taillés.

PRATO (I) : endroit plat et couvert d'herbe utilisé pour les jeux de plein air.

RAGNAIA (I) : fourré propre à prendre les oiseaux au piège.

RICAMI (I) : broderie de plantes. (Voir *Broderie*.)

ROCAILLE (F) : rochers, combinés au stuc, comme on en voit dans les grottes.

SAVINA (L) : bassin.

SEN-TEI (J) : jardin d'eau.

SHADUF (CHADOUF) (Eg) : appareil à bascule employé pour puiser l'eau d'irrigation.

SHIMA (J) : ancien mot pour île ou jardin.

SHIN (J) : style classique.

SO (J) : style non classique.

STANZONE (I) : serre principalement utilisée pour la conservation des orangers et des citronniers en hiver.

TOKONOMA (J) : niche prévue pour y exposer des objets d'art, mais souvent embellie de fleurs.

TOPIARIUS (L) : jardinier. Dessinateur de jardins.

TORII (J) : portail shinto.

TRICLINIUM (L) : salle à manger, généralement pourvue de trois couches sur trois côtés de la table, ce qui laissait le quatrième côté de libre pour le service.

TSUKI-YAMA (J) : jardin à buttes artificielles.

VASCA (I) : bassin, réservoir ou citerne.

VIRIDARIUM (L) : jardin d'agrément, bosquet, parc et aussi péristyle avec bassin.

XYSTUS (L) : promenade découverte entourée de trois côtés par une colonnade, formant terrasse, et soit pavée soit ornée de plantes.

Table des matières

Cet ouvrage a été achevé d'imprimer
le 1er mars 1968
sur les presses de l'imprimerie Mame, à Tours,
pour le compte des Éditions Robert Laffont, Paris.